FÁBULAS

Ciranda Cultural

Dados Internacionais de Catalogação na Publicação (CIP) de acordo com ISBD

L796f   Lobato, Monteiro, 1882-1948

          Fábulas / Monteiro Lobato ; ilustrado por Fendy. - Jandira, SP :
Ciranda Cultural, 2019.
          128 p. : il. ; 16cm x 23cm. – (A turma do sítio do Picapau Amarelo)

          Inclui índice.
          ISBN: 978-85-380-9017-5

          1. Literatura infantojuvenil. I. Fendy. II. Título. III. Série.

                                        CDD 028.5
2018-1715   CDU 82-93

Elaborado por Vagner Rodolfo da Silva - CRB-8/9410

Índice para catálogo sistemático:
1. Literatura infantojuvenil 028.5
2. Literatura infantojuvenil 82-93

© 2019 Ciranda Cultural Editora e Distribuidora Ltda.
Produção: Ciranda Cultural
Texto: Monteiro Lobato
Ilustrações: Fendy Silva

1ª Edição
www.cirandacultural.com.br

SUMÁRIO

DONA BENTA

PEDRINHO

EMÍLIA

TIA NASTÁCIA

VISCONDE DE SABUGOSA

NARIZINHO

A CIGARRA E AS FORMIGAS

I - A formiga boa

Houve uma jovem cigarra que tinha o costume de chiar ao pé de um formigueiro. Só parava quando cansadinha; e seu divertimento então era observar as formigas na eterna faina de abastecer as tulhas.

Mas o bom tempo afinal passou e vieram as chuvas. Os animais todos, arrepiados, passavam o dia cochilando nas tocas.

A pobre cigarra, sem abrigo em seu galhinho seco e metida em grandes apuros, deliberou socorrer-se de alguém.

Manquitolando, com uma asa a arrastar, lá se dirigiu para o formigueiro. Bateu – *tique, tique, tique...*

Aparece uma formiga friorenta, embrulhada num xalinho de paina.

– Que quer? – perguntou, examinando a triste mendiga suja de lama e a tossir.

– Venho em busca de agasalho. O mau tempo não cessa e eu...

A formiga olhou-a de alto a baixo.

– E que fez durante o bom tempo, que não construiu sua casa?

A pobre cigarra, toda tremendo, respondeu depois de um acesso de tosse.

– Eu cantava, bem sabe...

– Ah!... – exclamou a formiga recordando-se. – Era você então quem cantava nessa árvore enquanto nós labutávamos para encher as tulhas?

– Isso mesmo, era eu...

– Pois entre, amiguinha! Nunca poderemos esquecer as boas horas que sua cantoria nos proporcionou. Aquele chiado nos distraía e aliviava o trabalho. Dizíamos sempre: que felicidade ter como vizinha tão gentil cantora! Entre, amiga, que aqui terá cama e mesa durante todo o mau tempo.

A cigarra entrou, sarou da tosse e voltou a ser a alegre cantora dos dias de sol.

II - A formiga má

Já houve, entretanto, uma formiga má que não soube compreender a cigarra e com dureza a repeliu de sua porta.

Foi isso na Europa, em pleno inverno, quando a neve recobria o mundo com o seu cruel manto de gelo.

A cigarra, como de costume, havia cantado sem parar o estio inteiro, e o inverno veio encontrá-la desprovida de tudo, sem casa onde abrigar-se, nem folhinhas que comesse.

Desesperada, bateu à porta da formiga e implorou – emprestado, notem! – uns miseráveis restos de comida. Pagaria com juros altos aquela comida do empréstimo, logo que o tempo o permitisse.

Mas a formiga era uma usurária sem entranhas. Além disso, invejosa. Como não soubesse cantar, tinha ódio à cigarra por vê-la querida de todos os seres.

– Que fazia você durante o bom tempo?

– Eu... eu cantava!...

– Cantava? Pois dance agora, vagabunda! – e fechou-lhe a porta no nariz.

Resultado: a cigarra ali morreu entanguidinha; e quando voltou a primavera o mundo apresentava um aspecto mais triste. É que faltava na música do mundo o som estridente daquela cigarra morta por causa da avareza da formiga. Mas se a usurária morresse, quem daria pela falta dela?

Os artistas – poetas, pintores, músicos – são as cigarras da humanidade.

– Esta fabula está errada! – gritou Narizinho. – Vovó nos leu aquele livro do Maeterlinck sobre a vida das formigas – e lá a gente vê que as formigas são os únicos insetos caridosos que existem. Formiga má como essa nunca houve.

Dona Benta explicou que as fábulas não eram lições de História Natural, mas de Moral.

– E tanto é assim – disse ela – que nas fábulas os animais falam e na realidade eles não falam.

– Isso não! – protestou Emília. – Não há animalzinho, bicho, formiga ou pulga que não fale. Nós é que não entendemos as linguinhas deles.

Dona Benta aceitou a objeção e disse:

– Sim, mas nas fábulas os animais falam a nossa língua e na realidade só falam as linguinhas deles. Está satisfeita?

– Agora, sim! – disse Emília muito ganjenta com o triunfo. – Conte outra.

A CORUJA E A ÁGUIA

Coruja e águia, depois de muita briga, resolveram fazer as pazes.

– Basta de guerra – disse a coruja. – O mundo é tão grande, e tolice maior que o mundo é andarmos a comer os filhotes uma da outra.

– Perfeitamente – respondeu a águia. – Também eu não quero outra coisa.

– Nesse caso combinemos isto: de ora em diante não comerás nunca os meus filhotes.

– Muito bem. Mas como posso distinguir os teus filhotes?

– Coisa fácil. Sempre que encontrares uns borrachos lindos, bem feitinhos de corpo, alegres, cheios de uma graça especial que não existe em filhote de nenhuma outra ave, já sabes, são os meus.

– Está feito – concluiu a águia.

Dias depois, andando à caça, a águia encontrou um ninho com três mostrengos dentro, que piavam de bico muito aberto.

– Horríveis bichos! – disse ela. – Vê-se logo que não são os filhos da coruja.

E comeu-os.

Mas eram os filhos da coruja. Ao regressar à toca a triste mãe chorou amargamente o desastre e foi justar contas com a rainha das aves.

– Quê? – disse esta, admirada. – Eram teus filhos aqueles mostrenguinhos? Pois, olha, não se pareciam nada com o retrato que deles me fizeste...

Para retrato de filho ninguém acredite em pintor pai. Lá diz o ditado: quem o feio ama, bonito lhe parece.

– Para mim, vovó – comentou Narizinho –, esta é a rainha das fábulas. Nada mais verdadeiro. Para os pais os filhos são sempre uma beleza, nem que sejam feios como os filhos da coruja.

– E esta fábula se aplica a muita coisa, minha filha. Aplica-se a tudo que é produto nosso. Os escritores acham ótimas todas as coisas que escrevem, por piores que sejam. Quando um pintor pinta um quadro, para ele é sempre bonitinho. Tudo quanto nós fazemos é "filho de coruja".

– Mostrengo ou monstrengo, vovó? – quis saber Pedrinho. – Vejo essa palavra escrita de dois jeitos.

– Os gramáticos querem que seja mostrengo – coisa de mostrar: mas o povo acha melhor monstrengo – coisa monstruosa, e vai mudando. Por mais que os gramáticos insistam na forma "mostrengo", o povo diz "monstrengo".

– E quem vai ganhar essa corrida, vovó?

– Está claro que o povo, meu filho. Os gramáticos acabarão se cansando de insistir no "mostrengo" e se resignarão ao "monstrengo".

– Pois eu vou adotar o "monstrengo" – resolveu Pedrinho. – Acho mais expressivo.

A RÃ E O BOI

Tomavam sol à beira de um brejo uma rã e uma saracura. Nisto chegou um boi, que vinha para o bebedouro:

– Quer ver – disse a rã – como fico do tamanho deste animal?

– Impossível, rãzinha. Cada qual como Deus o fez.

– Pois olhe lá! – retorquiu a rã estufando-se toda. – Não estou "quase" igual a ele?

– Capaz! Falta muito, amiga.

A rã estufou-se mais um bocado.

– E agora?

– Longe ainda!...

A rã fez novo esforço.

– E agora?

– Que esperança!...

A rã, concentrando todas as forças, engoliu mais ar e foi-se estufando, estufando, até que, *plaf!*, rebentou como um balãozinho de elástico.

O boi, que tinha acabado de beber, lançou um olhar de filósofo sobre a rã moribunda e disse:

– *Quem nasce para 10 réis não chega a vintém.*

– Não concordo! – berrou Emília. – Eu nasci boneca de pano, muda e feia, e hoje sou até ex-marquesa. Subi muito. Cheguei a muito mais que vintém. Cheguei a tostão...

– Isso não impede que a fábula esteja certa, Emília, porque os fabulistas escrevem as fábulas para as criaturas humanas e não para criaturas inumanas como você. Você é "gentinha", não é bem gente.

Emília fez um muxoxo de pouco-caso.

– E "passo" isso de ser gente humana! Maior sem-gracismo não conheço...

– Cuidado, Emília! – disse Narizinho. – De repente você estufa demais e acontece como no caso da rã... E sabe o que sai de dentro de você, se arrebentar?

– Estrelas! – berrou Emília.

– Sai um chuveiro de asneirinhas...

Emília pôs-lhe a língua.

O REFORMADOR DO MUNDO

Américo Pisca-Pisca tinha o hábito de pôr defeito em todas as coisas. O mundo para ele estava errado e a natureza só fazia asneiras.

– Asneiras, Américo?

– Pois então?!... Aqui mesmo, neste pomar, você tem a prova disso. Ali está uma jabuticabeira enorme sustendo frutas pequeninas, e lá adiante vejo colossal abóbora presa ao caule de uma planta rasteira. Não era lógico que fosse justamente o contrário? Se as coisas tivessem de ser reorganizadas por mim, eu trocaria as bolas, passando as jabuticabas para a aboboreira e as abóboras para a jabuticabeira. Não tenho razão?

Assim discorrendo, Américo provou que tudo estava errado e só ele era capaz de dispor com inteligência o mundo.

– Mas o melhor – concluiu – é não pensar nisto e tirar uma soneca à sombra destas árvores, não acha?

E Pisca-Pisca, pisca-piscando que não acabava mais, estirou-se de papo para cima à sombra da jabuticabeira.

Dormiu. Dormiu e sonhou. Sonhou com o mundo novo, reformado inteirinho pelas suas mãos. Uma beleza!

De repente, no melhor da festa, *plaf!*, uma jabuticaba cai do galho e lhe acerta em cheio no nariz.

Américo desperta de um pulo; pisca, pisca; medita sobre o caso e reconhece, afinal, que o mundo não era tão malfeito assim.

E segue para casa refletindo:

– Que espiga!... Pois não é que se o mundo fosse arrumado por mim a primeira vítima teria sido eu? Eu, Américo Pisca-Pisca, morto pela abóbora por mim posta no lugar da jabuticaba? Hum! Deixemo-nos de reformas. Fique tudo como está, que está tudo muito bem.

E Pisca-Pisca continuou a piscar pela vida afora, mas já sem a cisma de corrigir a natureza.

– Pois esse Américo era bem merecedor de que a abóbora lhe esmagasse a cabeça de uma vez – berrou Emília. – Eu, se fosse a abóbora, moía-lhe os miolos...

– Por quê?

– Porque a natureza anda precisadíssima de reforma. Tudo torto, tudo errado... Um dia eu ainda agarro a natureza e arrumo-a certinha, deixo-a como deve ser.

Todos se admiraram daquela audácia. Emília continuou:

– Querem ver um erro absurdo da natureza? Essa coisa do tamanho... Para que tamanho... Para que quer um elefante um corpão enorme, se podia muito bem viver e ser feliz com um tamanhinho de pulga? Que adianta aquele beiço enorme de Tia Nastácia? Tudo errado – e o maior dos erros é o tal tamanho.

– E quando vai você reformar a natureza, Emília?

– Um dia. No dia em que eu me pilhar aqui sozinha[1]!...

1. **Nota da editora:** Um dia Emília se pilhou e a aventura ficou registrada em *Reforma da Natureza*.

A GRALHA ENFEITADA COM PENAS DE PAVÃO

Como os pavões andassem em época de muda, uma gralha teve a ideia de aproveitar as penas caídas.

– Enfeito-me com estas penas e viro pavão!

Disse e fez. Ornamentou-se com as lindas penas de olhos azuis e saiu pavoneando por ali afora, rumo ao terreiro das gralhas, na certeza de produzir um maravilhoso efeito.

Mas o trunfo lhe saiu às avessas. As gralhas perceberam o embuste, riram-se dela e enxotaram-na à força de bicadas.

Corrida assim dali, dirigiu-se ao terreiro dos pavões pensando lá consigo:

– Fui tola. Desde que tenho penas de pavão, pavão sou e só entre pavões poderei viver.

Mau cálculo. No terreiro dos pavões coisa igual lhe aconteceu. Os pavões de verdade reconheceram o pavão de mentira e também a correram de lá sem dó.

E a pobre tola, bicada e esfolada, ficou sozinha no mundo. Deixou de ser gralha e não chegou a ser pavão, conseguindo apenas o ódio de umas e o desprezo de outros.

Amigos: *lé com lé, cré com cré.*

– Esta fábula é bem boazinha – disse Dona Benta. – Quem pretende ser o que não é acaba mal. O Coronel Teodorico vendeu a fazenda, ficou milionário e pensou que era um homem da alta sociedade, dos finos, dos bem-educados. E agora? Anda de novo por aqui, sem vintém, mais depenado que a tal gralha. Por quê? Porque quis ser o que não era.

– Isso não, vovó! – objetou Pedrinho. – Ele ficou rico e quis levar a vida de rico. Só que não teve sorte.

– Não, meu filho. O meu compadre apenas se encheu de dinheiro – não ficou rico. Só enriquece quem adquire conhecimentos. A verdadeira riqueza não está no acúmulo de moedas – está no aperfeiçoamento do espírito e da alma. Qual o mais rico – aquele Sócrates que encontramos na casa de Péricles[2] ou um milionário comum?

– Ah, Sócrates, vovó! Perto dele o milionário comum não passa de um mendigo.

– Isso mesmo. A verdadeira riqueza não é a do bolso, é a da cabeça. E só quem é rico de cabeça (ou de coração) sabe usar a riqueza material formada por bens ou dinheiro. O compadre pretendeu ser rico. Enfeitou-se com as penas de pavão do dinheiro e acabou mais depenado que a gralha. Aprenda isso...

– E que quer dizer esse "lé com lé, cré com cré"? – perguntou Narizinho.

– Isso é o que resta de uma antiga expressão portuguesa que foi perdendo sílabas como a gralha perdeu penas: "Leigo com leigo, clérigo com clérigo". Em vez de clérigo, o povo dizia "crérigo". Ficaram só as primeiras sílabas das duas palavras.

O RATO DA CIDADE E O RATO DO CAMPO

Certo ratinho da cidade resolveu banquetear um compadre que morava no mato. E convidou-o para o festim, marcando lugar e hora.

Veio o rato da roça, e logo de entrada muito se admirou do luxo de seu amigo. A mesa era um tapete oriental, e os manjares eram coisa papa-fina: queijo do reino, presunto, pão de ló, mãe-benta. Tudo isso dentro de um salão cheio de quadros, estatuetas e grandes espelhos de moldura dourada.

2. Nota da editora: Aventura vivida em *O Minotauro*.

Puseram-se a comer.

No melhor da festa, porém, ouviu-se um rumor na porta. Incontinente o rato da cidade fugiu para o seu buraco, deixando o convidado de boca aberta.

Não era nada, e o rato fujão logo voltou e prosseguiu no jantar. Mas ressabiado, de orelha em pé, atento aos mínimos rumores da casa.

Daí a pouco, novo barulhinho na porta e nova fugida do ratinho.

O compadre da roça franziu o nariz.

– Sabe do que mais? Vou-me embora. Isto por aqui é muito bom e bonito mas não me serve. Muito melhor roer o meu grão de milho no sossego da minha toca do que me fartar de gulodices caras com o coração aos pinotes. Até logo.

E foi-se.

– Está certo! – disse Tia Nastácia que havia entrado e parado para ouvir. – Nunca me hei de esquecer do que passei lá na Lua quando estive cozinhando para São Jorge[3] e ouvia os urros daquele dragão. Meu coração pulava no peito. Só sosseguei quando me vi outra vez aqui no meu cantinho...

O VELHO, O MENINO E A MULINHA

O velho chamou o filho e disse:

– Vá ao pasto, pegue a bestinha ruana e apronte-se para irmos à cidade, que quero vendê-la.

O menino foi e trouxe a mula. Passou-lhe a raspadeira, escovou-a e partiram os dois a pé, puxando-a pelo cabresto. Queriam que ela chegasse descansada para melhor impressionar os compradores.

De repente:

– Esta é boa! – exclamou um viajante ao avistá-los. – O animal vazio e o pobre velho a pé! Que despropósito! Será promessa, penitência ou caduquice?...

3. Nota da editora: A turminha foi à Lua em *Viagem ao Céu*.

19

E lá se foi, a rir.

O velho achou que o viajante tinha razão e ordenou ao menino:

– Puxa a mula, meu filho. Eu vou montado e assim tapo a boca do mundo.

Tapar a boca do mundo, que bobagem! O velho compreendeu isso logo adiante, ao passar por um bando de lavadeiras ocupadas em bater roupas num córrego.

– Que graça! – exclamaram elas. – O marmanjão montado com todo o sossego e o pobre menino a pé... Há cada pai malvado por este mundo de Cristo... Credo!...

O velho danou e, sem dizer palavra, fez sinal ao filho para que subisse à garupa.

– Quero só ver o que dizem agora...

Viu logo. O Izé Biriba, estafeta do correio, cruzou com eles e exclamou:

– Que idiotas! Querem vender o animal e montam os dois de uma vez... Assim, meu velho, o que chega à cidade não é mais a mulinha; é a sombra da mulinha...

– Ele tem razão, meu filho, precisamos não judiar o animal. Eu apeio e você, que é levezinho, vai montado.

Assim fizeram, e caminharam em paz um quilômetro, até o encontro com um sujeito que tirou o chapéu e saudou o pequeno respeitosamente:

– Bom dia, príncipe!

– Por quê, príncipe? – indagou o menino.

– É boa! Porque só príncipes andam assim de lacaio à rédea...

– Lacaio, eu? – esbravejou o velho. – Que desaforo! Desce, desce, meu filho, e carreguemos o burro às costas. Talvez isto contente o mundo...

Nem assim. Um grupo de rapazes, vendo a estranha cavalgada, acudiu em tumulto, com vaias:

– Hu! Hu! Olha a trempe de três burros, dois de dois pés e um de quatro! Resta saber qual dos três é o mais burro...

– Sou eu! – replicou o velho, arriando a carga. – Sou eu, porque venho há uma hora fazendo não o que quero, mas o que quer o mundo. Daqui em diante, porém, farei o que me manda a consciência, pouco me importando que o mundo concorde ou não. Já vi que morre doido quem procura contentar toda gente...

– Isto é bem certo – disse Dona Benta. – Quem quer contentar todo mundo não contenta ninguém. Sobre todas as coisas há sempre opiniões contrárias. Um acha que é assim, outro acha que é assado.

– E como então a gente deve fazer? – perguntou a menina.

– Devemos fazer o que nos parece mais certo, mais justo, mais conveniente. E para nos guiar temos a nossa razão e a nossa consciência. Aquela fita que vimos no cinema da cidade tem um título muito sábio.

– Qual, vovó?

– E isto acima de tudo...

– Não estou entendendo...

– Esse título é a primeira parte de um verso de Shakespeare: "E isto acima de tudo: sê fiel a ti mesmo". Bonito, não?

– Lindo, vovó! – exclamou Pedrinho entusiasmado. – E vou adotar esse verso como lema da minha vida. Quero ser fiel a mim mesmo – e o mundo que se fomente...

O PASTOR E O LEÃO

Um pastorzinho, notando certa manhã a falta de várias ovelhas, enfureceu-se, tomou da espingarda e saiu para a floresta.

– Raios me partam se eu não trouxer, vivo ou morto, o miserável ladrão das minhas ovelhas! Hei de campear dia e noite, hei de encontrá-lo, hei de arrancar-lhe o fígado...

E assim, furioso, a resmungar as maiores pragas, consumiu longas horas em inúteis investigações.

Cansado já, lembrou-se de pedir socorro aos céus.

– Valei-me, Santo Antônio! Prometo-vos vinte reses se me fizerdes dar de cara com o infame salteador.

Por estranha coincidência, assim que o pastorzinho disse aquilo apareceu diante dele um enorme leão, de dentes arreganhados.

O pastorzinho tremeu dos pés à cabeça; a espingarda caiu-lhe das mãos; e tudo quanto pôde fazer foi invocar de novo o santo.

– Valei-me, Santo Antônio! Prometi vinte reses se me fizésseis aparecer o ladrão; prometo agora o rebanho inteiro para que o façais desaparecer.

No momento do perigo é que se conhecem os heróis.

– Pois eu escorava o leão! – disse Pedrinho. – Se estivesse com uma boa espingarda escorava – ah, isso escorava! Levava a espingarda à cara, fazia pontaria e *pum!*

– E se errasse? – interpelou a menina.

– Se errasse, pior para mim. Correr é que não corria, porque que adianta correr de leão? Ele pega mesmo...

Dona Benta riu-se da valentia e falou:

– Por essa razão é que a "moralidade" da fábula diz que é no momento do perigo que se conhecem os heróis. Se você não fugia, então é que é mesmo um herói. Mas o tal pastorzinho não era...

– E foi bom que não fosse – disse a menina.

– Por quê?

– Porque se ele fosse um herói como Pedrinho, não podia haver esta fábula.

BURRICE

Caminhavam dois burros, um com carga de açúcar, outro com carga de esponjas.

Dizia o primeiro:

– Caminhemos com cuidado, porque a estrada é perigosa.

O outro redarguiu:

– Onde está o perigo? Basta andarmos pelo rastro dos que hoje passaram por aqui.

– Nem sempre é assim. Onde passa um, pode não passar outro.

– Que burrice! Eu sei viver, gabo-me disso, e minha ciência toda se resume em só imitar o que os outros fazem.

– Nem sempre é assim, nem sempre é assim... – continuou a filosofar o primeiro.

Nisto alcançaram o rio, cuja ponte caíra na véspera.

– E agora?

– Agora é passar a vau.

O burro do açúcar meteu-se na correnteza e, como a carga se ia dissolvendo ao contato da água, conseguiu sem dificuldade pôr pé na margem oposta.

O burro da esponja, fiel às suas ideias, pensou consigo:

"Se ele passou, passarei também" – e lançou-se ao rio.

Mas sua carga, em vez de esvair-se como a do primeiro, cresceu de peso a tal ponto que o pobre tolo foi ao fundo.

– Bem dizia eu! Não basta *querer* imitar, é preciso *poder* imitar – comentou o outro.

– Que é passar a vau? – perguntou Pedrinho.

– É uma expressão antiga e muito boa. Quer dizer "vadear um rio", passar por dentro da água no lugar mais raso.

– E por que a senhora disse "redarguiu"? Não é pedantismo? – quis saber a menina.

– É e não é – respondeu Dona Benta. – Redarguir é dar uma resposta que é também pergunta. Bonito, não?

— Por que é e não é? Como uma coisa pode ao mesmo tempo ser e não ser?

— É pedantismo para os que gostam da linguagem mais simplificada possível. E não é pedantismo para os que gostam de falar com grande propriedade de expressão.

— E que é propriedade de expressão? — quis saber Narizinho.

— Propriedade de expressão — explicou Dona Benta — é a mais bela qualidade de um estilo. É dizer as coisas com a maior exatidão. Ainda há pouco Emília falou no "ferrinho do trinco da porta". Temos aqui uma "impropriedade de expressão". Se ela dissesse "lingueta do trinco" estaria falando com mais propriedade.

— Mas é ou não é ferrinho? — redarguiu Emília. — A lingueta do trinco é um ferrinho, mas um ferrinho não é lingueta — pode ser mil coisas.

O JULGAMENTO DA OVELHA

Um cachorro de maus bofes acusou uma pobre ovelhinha de lhe haver furtado um osso.

– Para que furtaria eu esse osso – alegou ela – se sou herbívora e um osso para mim vale tanto quanto um pedaço de pau?

– Não quero saber de nada. Você furtou o osso e vou já levá-la aos tribunais.

E assim fez.

Queixou-se ao gavião-de-penacho e pediu-lhe justiça. O gavião reuniu o tribunal para julgar a causa, sorteando para isso doze urubus de papo vazio.

Comparece a ovelha. Fala. Defende-se de forma cabal, com razões muito irmãs das do cordeirinho que o lobo em tempos comeu.

Mas o júri, composto de carnívoros gulosos, não quis saber de nada e deu a sentença:

– Ou entrega o osso já e já, ou condenamos você à morte!

A ré tremeu: não havia escapatória!... Osso não tinha e não podia, portanto, restituir; mas tinha a vida e ia entregá-la em pagamento do que não furtara.

Assim aconteceu. O cachorro sangrou-a, espostejou-a, reservou para si um quarto e dividiu o restante com os juízes famintos, a título de custas...

Fiar-se na justiça dos poderosos, que tolice!... A justiça deles não vacila em tomar do branco e solenemente declarar que é preto.

– Esta fábula – disse Dona Benta – é muito dolorosa. É um verdadeiro retrato da justiça humana; e se eu fosse explicar a lição que existe aqui, levaria um ano. Não vale a pena. Vocês vão viver, vão crescer, vão conhecer os homens – e irão percebendo a profunda e triste verdade desta fabulazinha...

– Que quer dizer "maus bofes", vovó?

– Quer dizer de má índole, de maus sentimentos, e foi por ser assim que o cachorro acusou a pobre ovelha.

– E os urubus, juízes também, eram de maus bofes?

– Não. Esses eram apenas maus juízes, dos que julgam de acordo com certos interesses, em vez de julgar de acordo com a justiça.

– Que interesses tinham eles no caso?

– Estavam com fome e queriam comer a ovelha.

Emília protestou. Achou que nesse ponto a fábula não tinha "propriedade gastronômica".

– Por quê?

– Porque o urubu não come carne fresca, só come carne podre...

O BURRO JUIZ

A gralha começou a disputar com o sabiá afirmando que sua voz valia mais que a dele. Como as outras aves se rissem daquela pretensão, a barulhenta matraca de penas gralhou furiosa:

– Nada de brincadeiras! Isto é uma questão muito séria, que deve ser decidida por um juiz. O sabiá canta, eu canto, e uma sentença decidirá quem é o melhor cantor. Topam?

– Topamos! – piaram as aves. – Mas quem servirá de juiz?

Estavam a debater este ponto quando zurrou ao longe um burro.

– Nem de encomenda! – exclamou a gralha. – Está lá um juiz de primeiríssima ordem para julgamento da música, porque nenhum animal possui orelhas daquele tamanho. Convidemo-lo para julgar a causa.

O burro aceitou o juizado e veio postar-se no centro da roda.

– Vamos lá, comecem! – ordenou ele.

O sabiá deu um pulinho, abriu o bico e cantou. Cantou como só cantam os sabiás, repicando os trinos mais melodiosos e límpidos.

– Agora eu! – disse a gralha, dando um passo à frente. E abrindo a bicanca matraqueou um berreiro de romper os tímpanos aos próprios surdos.

Terminada a prova, o juiz abanou as orelhas e deu sentença:

– Dou ganho de causa a Dona Gralha, que canta muito melhor que Mestre Sabiá.

Quem burro nasce, togado ou não, burro morre.

– Estou compreendendo – disse Narizinho. – A gralha escolheu para juiz o burro justamente porque um burro não entende nada de música – apesar das orelhas que tem. Essa gralha era espertíssima...

– Pois se escolhesse o nosso Burro Falante – disse Emília – quem levava na cabeça era ela. Impossível que o Conselheiro não desse sentença a favor do sabiá! Já notei isso. Sempre que um passarinho canta num galho, ele espicha as orelhas e fica a ouvir, com um sorriso nos lábios...

Dona Benta riu-se e deixou passar a fábula sem nenhum comentário.

OS CARNEIROS JURADOS

Certo pastor, revoltado com as depredações do lobo, reuniu a carneirada e disse:

– Amigos! É chegado o momento de reagir. Sois uma legião e o lobo é um só. Se vos reunirdes e resistirdes de pé firme, quem perderá a partida será ele, e nós nos veremos para sempre libertos da sua cruel voracidade.

Os carneiros aplaudiram-no com entusiasmo e, erguendo a pata dianteira, juraram resistir.

– Muito bem! – exclamou o pastor. – Resta agora combinarmos o meio prático de resistir. Proponho o seguinte: quando a fera aparecer, ninguém foge; ao contrário: firmam-se todos nos pés, retesam os músculos, armam a cabeça, investem contra ela, encurralam-na, imprensam-na; esmagam-na!

Uma salva de *bés* selou o pacto e o dia inteiro não se falou senão na tremenda réplica que dariam ao lobo.

Ao anoitecer, porém, quando a carneirada se recolhia ao curral, um berro ecoou de súbito:

– O lobo!...

Não foi preciso mais: sobreveio o pânico e os heróis jurados fugiram pelos campos afora, tontos de pavor.

Fora rebate falso. Não era lobo; era apenas sombra de lobo!...

Ao carneiro só peças lã.

– Por que só pedir lã aos carneiros? – disse Emília. – Podemos também pedir-lhes costeletas. Dos carneiros é só o que interessa Tia Nastácia, as costeletas...

Dona Benta explicou que o principal do carneiro não era a carne, e sim a lã.

– Carne todos os animais têm – disse ela – e lã, só o carneiro. Lã em quantidade, que dá para vestir todos os homens da Terra, só o carneiro. É por isso que o autor desta história fala em lã, e não em carne. A moralidade da fábula é que não devemos exigir das criaturas coisas que elas não podem dar. Se pedirmos lã a um carneiro, ele no-la dá muita e excelente. Mas se pedirmos coragem, ah, isso ele não dá nem um pingo.

– Por quê?

– Porque não tem. Não há bichinho mais tímido, mais sem coragem que o carneiro. Quando queremos falar de uma pessoa muito pacífica, dizemos: "É um carneiro!".

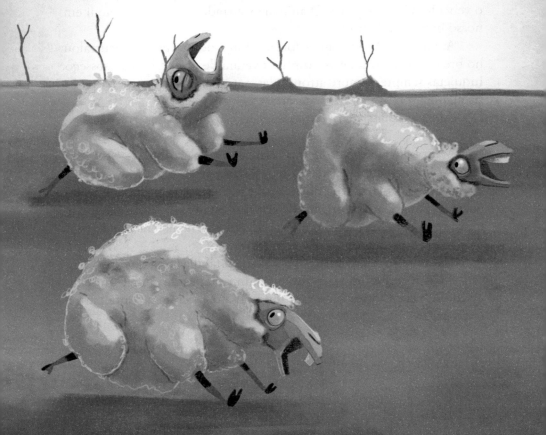

O TOURO E AS RÃS

Enquanto dois touros lutavam furiosamente pela posse exclusiva de certa campina, as rãs novas, à beira do brejo, divertiam-se com a cena. Uma rã velha, porém, suspirou:

– Não se riam, que no fim da disputa, vai ser doloroso para nós.

– Que tolice! – exclamaram as rãzinhas. – Você está caducando, rã velha!

A rã velha explicou-se:

– Brigam os touros. Um deles há de vencer e expulsar da pastagem o vencido. Que acontece? O animalão surrado vem meter-se aqui em nosso brejo e ai de nós!...

Assim foi. O touro mais forte, à força de marradas, encurralou no brejo o mais fraco, e as rãzinhas tiveram de dizer adeus ao sossego. Inquietas sempre, sempre atropeladas, raro era o dia em que não morria alguma sob os pés do bicharoco.

É sempre assim: brigam os grandes, pagam o pato os pequenos.

– Estou achando isso muito certo – disse Narizinho. – Os fortes sempre se arrumam lá entre si – e os fracos pagam o pato.

– É a lei da vida, minha filha. A função do fraco é pagar o pato. Nas guerras, por exemplo, brigam os grandes estadistas – mas quem vai morrer nas batalhas são os pobres soldados que nada têm com a coisa.

– Pagar o pato! Donde viria essa expressão?

– Eu sei – berrou Emília. – Veio de uma fabulazinha que vou escrever. "Dois fortes e um fraco foram a um restaurante comer um pato assado. Os dois fortes comeram todo o pato e deram a conta para o fraco pagar..."

A ASSEMBLEIA DOS RATOS

Um gato de nome Faro-Fino deu de fazer tal destroço na rataria de uma casa velha que os sobreviventes, sem ânimo de sair das tocas, estavam a ponto de morrer de fome.

Tornando-se muito sério o caso, resolveram reunir-se em assembleia para o estudo da questão. Aguardaram para isso certa noite em que Faro-Fino andava aos miados pelo telhado, fazendo sonetos à Lua.

– Acho – disse um deles – que o meio de nos defendermos de Faro-Fino é lhe atarmos um guizo ao pescoço. Assim que ele se aproxime, o guizo o denuncia, e pomo-nos ao fresco a tempo.

Palmas e bravos saudaram a luminosa ideia. O projeto foi aprovado com delírio. Só votou contra um rato casmurro, que pediu a palavra e disse:

– Está tudo muito direito. Mas quem vai amarrar o guizo no pescoço de Faro-Fino?

Silêncio geral. Um desculpou-se por não saber dar nó. Outro, porque não era tolo. Todos, porque não tinham coragem. E a assembleia dissolveu-se no meio de geral consternação.

Dizer é fácil, fazer é que são elas!

– Que história essa de gato "fazendo sonetos à Lua"? – interpelou a menina. – A senhora está ficando muito "literária" vovó...

Dona Benta riu-se.

– Sim, minha filha. Apesar do meu desamor pela "literatura", às vezes faço alguma. Isso aí é uma "imagem literária". A Lua é um astro poético, e quando um gatinho anda miando pelo telhado, um poeta pode dizer que ele está fazendo sonetos à Lua. É uma bobagenzinha poética.

– "Desamor pela literatura", vovó? – estranhou Pedrinho. – Então a senhora desama a literatura?

Dona Benta suspirou.

– Meu filho, há duas espécies de literatura, uma entre aspas e outra sem aspas. Eu gosto desta e detesto aquela. A literatura sem aspas é a dos grandes livros; e a com aspas é a dos livros que não valem nada. Se eu digo: "Estava uma linda manhã de céu azul", estou fazendo literatura sem aspas, da boa. Mas se eu digo: "Estava uma gloriosa manhã de céu americanamente azul", eu faço "literatura" da aspada – da que merece pau.

– Compreendo, vovó – disse a menina –, e sei de um exemplo ainda melhor. No dia dos anos da Candoca o jornal da vila trouxe uma notícia assim: "Colhe hoje mais uma violeta no jardim da sua preciosa existência a gentil senhorita Candoca de Moura, ebúrneo ornamento da sociedade itaoquense". Isso me parece literatura com dez aspas.

– E é, minha filha. É da que pede pau...

O GALO QUE LOGROU A RAPOSA

Um velho galo matreiro, percebendo a aproximação da raposa, empoleirou-se numa árvore. A raposa desapontada, murmurou consigo: "Deixe estar, seu malandro, que já te curo!...". E em voz alta:

– Amigo, venho contar uma grande novidade: acabou-se a guerra entre os animais. Lobo e cordeiro, gavião e pinto, onça e veado, raposa e galinhas, todos os bichos andam agora aos beijos, como namorados. Desça desse poleiro e venha receber o meu abraço de paz e amor.

– Muito bem! – exclamou o galo. – Não imagina como tal notícia me alegra! Que beleza vai ficar o mundo, limpo de guerras, crueldade e traições! Vou já descer para abraçar a amiga raposa, mas... como lá vêm vindo três cachorros, acho bom esperá-los, para que também eles tomem parte na confraternização.

Ao ouvir falar em cachorro, Dona Raposa não quis saber de história, e tratou de pôr-se ao fresco, dizendo:

– Infelizmente, amigo, tenho pressa e não posso esperar pelos amigos cães. Fica para a outra vez a festa, sim? Até logo.

E raspou-se.

Contra esperteza, esperteza e meia.

– Pilhei a senhora num erro! – gritou Narizinho. – A senhora disse: "Deixe estar que eu já te curo!". Começou com o "você" e acabou com o "tu", coisa que os gramáticos não admitem. O "te" é do "tu", não é do "você"...

– E como queria que eu dissesse, minha filha?

– Para estar bem com a gramática, a senhora devia dizer: "Deixa estar que eu já te curo".

– Muito bem. Gramaticalmente é assim, mas na prática não é. Quando falamos naturalmente, o que nos sai da boca é ora o "você", ora o "tu" – e as frases ficam muito mais jeitosinhas quando há essa combinação do "você" e do "tu". Não acha?

– Acho, sim, vovó, e é como falo. Mas a gramática...

– A gramática, minha filha, é uma criada da língua, e não uma dona. O dono da língua somos nós, o povo – e a gramática o que tem a fazer é, humildemente, ir registrando o nosso modo de falar. Quem manda é o uso geral, e não a gramática. Se todos nós começarmos a usar o "tu" e o "você" misturados, a gramática só tem uma coisa a fazer...

– Eu sei o que é que ela tem a fazer, vovó! – gritou Pedrinho. – É pôr o rabo entre as pernas e murchar as orelhas...

Dona Benta aprovou.

Os Dois Viajantes na Macacolândia

Dois viajantes, transviados no sertão, depois de muito andar alcançam o reino dos macacos. Ai deles! Guardas surgem na fronteira, guardas ferozes que os prendem, que os amarram e os levam à presença de sua majestade Simão III.

El-rei examina-os detidamente, com macacal curiosidade, e em seguida os interroga:

– Que tal acham isto por aqui?

Um dos viajantes, diplomata de profissão, responde sem vacilar:

– Acho que este reino é a oitava maravilha do mundo. Sou viajadíssimo, já andei por Ceca e Meca, mas, palavra de honra, nunca vi gente mais formosa, corte mais brilhante, nem rei de mais nobre porte do que vossa majestade.

Simão lambeu-se todo de contentamento e disse para os guardas:

– Soltem-no e deem-lhe um palácio para morar e a mais gentil donzela para esposa. E lavrem incontinente o decreto de sua nomeação para cavaleiro da mui augusta Ordem da Banana de Ouro.

Assim se fez e, enquanto o faziam, El-rei Simão, risonho ainda, dirigiu a palavra ao segundo viajante:

– E você? Que acha do meu reino?

Este segundo viajante era um homem neurastênico, azedo, amigo da verdade a todo o transe. Tão amigo da verdade que replicou sem demora:

– O que acho? É boa! Acho o que é!...

– E que é que é? – interpelou Simão, fechando o sobrecenho.

– Não é nada. Uma macacalha... Macaco praqui, macaco prali, macaco no trono, macaco no pau...

– Pau nele – berra furioso o rei, gesticulando como um possesso. – Pau de rachar nesse miserável caluniador...

E o viajante neurastênico, arrastado dali por cem munhecas, entrou numa roda de lenha que o deixou moído por uma semana.

Quem for amigo da verdade, use couraça ao lombo.

– Também concordo – disse Pedrinho. – A verdade a gente deve dizer com muita cautela e só nas ocasiões próprias. Aquela sova que o Quim da botica tomou outro dia, por que foi? Porque o bobo disse na cara do Coronel Teodorico o que toda gente pensa dele pelas costas. O bobo do Quim disse o que pensava e levou um pé-de-ouvido que o deixou surdo por três dias. É o que ainda acaba acontecendo para Emília. Vai dizendo as verdades mais duras na cara de toda gente e um dia estrepa-se. Lembra-se, vovó, do que ela disse para Dom Quixote, naquela vez em que o herói montou no Conselheiro por engano e ao perceber isso pôs-se a insultar nosso burro[4]? E se Dom Quixote a espetasse com a lança?

– Emília sabe o que faz – observou Dona Benta. – A esperteza chegou ali e parou. Ela sabia muito bem que o Cavaleiro da Mancha era incapaz de ofender uma "dama" e por isso abusou...

Emília rebolou-se toda ao ouvir-se classificada de dama...

A MENINA DO LEITE

Laurinha, no seu vestido novo de pintas vermelhas, chinelos de bezerro, *treque, treque, treque,* lá ia para o mercado com uma lata de leite à cabeça – o primeiro leite da sua vaquinha mocha. Ia contente, rindo-se e falando sozinha.

4. Nota da editora: Aventura do bandinho em *Dom Quixote das Crianças.*

– Vendo o leite – dizia – e compro uma dúzia de ovos. Choco os ovos e antes de um mês já tenho uma dúzia de pintos. Morrem... dois, que sejam, e crescem dez – cinco frangas e cinco frangos. Vendo os frangos e crio as frangas, que crescem e viram ótimas botadeiras de duzentos ovos por ano cada uma. Cinco mil ovos! Choco tudo e lá me vêm quinhentos galos e mais outro tanto de galinhas. Vendo os galos. A 2 cruzeiros cada um – 2 vezes 5, 10... – 1.000 cruzeiros... Posso então comprar doze porcas de cria e mais uma cabrita. As porcas dão-me, cada uma, seis leitões. 6 vezes 12...

Estava a menina neste ponto quando tropeçou, perdeu o equilíbrio e, com a lata e tudo, caiu um grande tombo no chão.

Pobre Laurinha!

Ergueu-se chorosa, com um ardor de esfoladura no joelho; e enquanto espanejava as roupas sujas de pó viu sumir-se, embebido pela terra seca, o primeiro leite da sua vaquinha mocha e com ele os doze ovos, as cinco botadeiras, os quinhentos galos, as doze porcas de cria e a cabritinha – todos os belos sonhos da sua ardente imaginação...

Emília bateu palmas.

– Viva! Viva! Viva a Laurinha!... No nosso passeio ao País das Fábulas tivemos ocasião de ver essa história formar-se – mas o fim foi diferente[5]. Laurinha estava esperta e não derrubou o pote de leite, porque não carregava o leite em pote nenhum, e sim numa lata de metal bem fechada. Lembra-se Narizinho?

A menina lembrava-se.

– Sim – disse ela. – Lembro-me muito bem. A Laurinha não derramou o leite e deixou a fábula errada. O certo é como vovó acaba de contar.

– Está claro, minha filha – concordou Dona Benta. – É preciso que Laurinha derrame o leite para que possamos extrair uma moralidade da história.

– Que é moralidade, vovó?

– É a lição moral da história. Nesta fábula da menina do leite a moralidade é que não devemos contar com uma coisa antes de a termos conseguido...

5. Nota da editora: A turma visitou o País das Fábulas em *Reinações de Narizinho*.

A RÃ SÁBIA

Como a onça estivesse para casar-se, os animais todos andavam aos pulos, radiantes, com olho na festa prometida. Só uma velha rã sabidona torcia o nariz àquilo.

O marreco observou-lhe o trejeito e disse:

– Grande enjoada! Que cara feia é essa, quando todos nós pinoteamos alegres no antegozo do festão?

– Por um motivo muito simples – respondeu a rã. – Porque nós, como vivemos quietas, a filosofar, sabemos muito da vida e enxergamos mais longe do que vocês. Responda-me a isto: se o Sol se casasse e em vez de torrar o mundo sozinho o fizesse ajudado por Dona Sol e por mais vários sóis filhotes? Que aconteceria?

– Secavam-se todas as águas, está claro.

– Isto mesmo. Secavam-se as águas e nós, rãs e peixes, levaríamos a breca. Pois calamidade semelhante vai cair sobre vocês. Casa-se a onça, e já de começo será ela e mais o marido a perseguirem os animais. Depois aparecem as oncinhas – e os animais terão que aguentar com a fome de toda a família. Ora, se um só apetite já nos faz tanto mal, que será quando forem três, quatro e cinco?

O marreco refletiu e concordou:

– É isso mesmo...

Pior que um inimigo, dois; pior que dois, três...

– Esta fábula nos mostra – disse Dona Benta – que quem só enxerga um palmo adiante do nariz está desgraçado. As criaturas verdadeiramente sábias olham longe. Antes de fazer uma coisa, refletem sobre todas as consequências futuras de seu ato.

– Eu enxergo 100 metros adiante do meu nariz! – gabou-se Emília.

Narizinho fez um muxoxo.

– Gabola! Vovó já disse que louvor em boca própria é vitupério.

– Mas é verdade! – insistiu Emília. – Naquele caso da compra das fazendas para aumentar o Sítio do Picapau Amarelo[6], quem viu mais longe? Dona Benta, Pedrinho ou eu? Eu...

6. Nota da editora: O sítio ficou pequeno em *O Picapau Amarelo!*

– Perfeitamente, não nego – disse a menina. – Mas o feio é andar se gabando. Espere que os outros te gabem. Posso dizer assim, vovó – "Espere que os outros te gabem?".

Dona Benta riu-se.

– Pode, minha filha, porque não há nenhuma gramática por perto...

O VEADO E A MOITA

Perseguido pelos caçadores, um pobre veado escondeu-se bem quietinho dentro de cerrada moita. O abrigo era seguro, e tanto que por ele passaram os cães sem perceberem coisa nenhuma.

Salvou-se o veado; mas, ingrato e imprudente, logo que ouviu latir ao longe o perigo, esqueceu o benefício e pastou a benfeitora – comeu toda a folhagem que tão bem o escondera.

Fez e pagou.

Dias depois voltaram novamente os caçadores. O veado correu em procura da moita – mas a pobre moita, sem folhas, reduzida a varas, não pôde mais escondê-lo, e o triste animalzinho acabou estraçalhado pelos dentes dos cães impiedosos.

– Bravos, vovó! – aplaudiu Narizinho. – A senhora botou nessa fábula duas belezas bem lindinhas.

– Quais, minha filha?

– Aquele "ouviu latir ao longe o perigo" em vez de "ouviu latir ao longe os cães"; e aquele "pastou a benfeitora" em vez de "pastou a moita". Se Tia Nastácia estivesse aqui, dava à senhora uma cocada.

Dona Benta riu-se.

– Pois essas "belezinhas" são uma figura de retórica que os gramáticos xingam de sinédoque...

– Eu sei o que é isso – berrou Emília. – É "sem" com um pedaço de bodoque.

Ninguém entendeu. Emília explicou:

– *"Sine"* quer dizer "sem". Quando o Visconde quer dizer "sem dia marcado", ele diz *sine die*. É latim. E "doque" é um pedaço de bodoque...

– Parece que é assim, mas não é, Emília – explicou Dona Benta. – Sinédoque é a *synedoche* dos gregos, e quer dizer "compreensão".

– E que tem a compreensão com as duas belezinhas? – quis saber a menina.

– Tem que, falando em "perigo" em vez de "cães", e em "benfeitora" em vez de "moita", toda a gente compreende a troca das palavras – e fica a tal belezinha que você achou. A sinédoque troca a parte pelo todo, como quando dizemos "velas" em vez de "navios"; ou troca o gênero pela espécie, como quando dizemos "os mortais" em vez de "os homens"; ou troca uma coisa pela qualidade da coisa, como quando dizemos "perigo" em vez de "cães" e "benfeitora" em vez de "moita".

– E para que serve isso? – perguntou Narizinho.

– Para enfeitar o estilo.

– Mas a senhora mesma não disse que o estilo muito enfeitado, muito floreado, é feio?

– Sim. Quando é muito enfeitado fica feio e de mau gosto, mas se aparece discretamente enfeitado fica bem bonitinho. Se você vai à vila com uma flor no peito, fica linda como uma sinédoque. Mas se se enfeitar demais, fica apalhaçada e revela mau gosto. Tudo na vida depende da justa medida; nem mais, nem menos; antes menos do que mais.

– Então é o tal usar e não abusar – lembrou a menina.

– Isso mesmo. Discrição é isso.

Narizinho, que era uma menina muito discreta, compreendeu perfeitamente.

O SABIÁ E O URUBU

Era à tardinha. Morria o sol no horizonte enquanto as sombras se alongavam na terra. Um sabiá cantava tão lindo que até as laranjeiras pareciam absortas à escuta.

Estorce-se de inveja o urubu e queixa-se:

– Mal abre o bico este passarinho e o mundo se enleva. Eu, entretanto, sou um espantalho de que todos fogem com repugnância... Se ele chega, tudo se alegra; se eu me aproximo, todos recuam... Ele, dizem, traz felicidade; eu, mau agouro... A natureza foi injusta e cruel para comigo. Mas está em mim corrigir a natureza; mato-o, e desse modo me livro da raiva que seus gorjeios me provocam.

Pensando assim, aproximou-se do sabiá, que ao vê-lo armou as asas para a fuga.

– Não tenha medo, amigo! Venho para mais perto a fim de melhor gozar as delícias do canto. Julga que por ser urubu não dou valor às obras-primas da arte? Vamos lá, cante! Cante ao pé de mim aquela melodia com que há pouco você extasiava a natureza.

O ingênuo sabiá deu crédito àqueles mentirosos grasnos e permitiu que dele se aproximasse o traiçoeiro urubu. Mas este, logo que o pilhou ao alcance, deu-lhe tamanha bicada que o fez cair moribundo.

Arquejante, com os olhos já envidrados, geme o passarinho:

– Que mal fiz eu para merecer tanta ferocidade?

– Que mal fez? É boa! Cantou!... Cantou divinamente bem, como nunca urubu nenhum há de cantar. Ter talento: eis o grande crime!...

A inveja não admite o mérito.

Dona Benta suspirou e disse:

– Está aqui outra fábula muito dolorosa, meus filhos. Põe em foco a inveja – o sentimento pior que existe. A maior parte das desgraças do mundo vem da inveja, e creio que não há sentimento mais generalizado. A inveja não admite o mérito – e difama, calunia, procura destruir a criatura invejada. Felizmente é coisa que não vejo aqui por casa.

– Engano seu, Dona Benta! – berrou Emília. – Às vezes bem que me invejam...

– Quem inveja você, bobinha?

– Gentes... – respondeu Emília fazendo um muxoxo de indireta...

A MORTE E O LENHADOR

Um velhinho, muito velho, vivia de tirar lenha na mata. Os feixes, porém, cada vez lhe pareciam mais pesados. Tropicava com eles, quase caía, e um dia caiu de verdade, perdeu a paciência e lamentou-se amargamente:

– Antes morrer! De que me vale a vida, se nem com este miserável feixe posso? Vem, ó Morte, vem aliviar-me do peso desta vida inútil.

Tentou erguer a lenha. Não pôde e, desanimando, invocou pela segunda vez a Magra.

– Por que demoras tanto, Morte? Vem, já pedi, vem aliviar-me do fardo da vida. Andas pelo mundo a colher criancinhas e esqueces de mim que te chamo...

A Morte foi e apareceu – horrenda, escaveirada, com os ossos a chocalharem e a foice na mão.

Ao vê-la de perto o homem estremeceu de pavor, e mais ainda quando a Magra lhe disse, batendo os ossos do queixo:

– Cha-mas-te-me; a-qui es-tou!

O velho tremia, suava... E para sair-se dos apuros só teve esta:

– Chamei-te, sim, mas para me ajudares a botar esta lenha às costas...

– Não gosto desta fábula – disse a menina – porque aparece uma Morte muito feia. Eu não queria que pintassem a Morte assim, com o alfanje de cortar grama ao ombro, com a caveira em vez de cara e aquele lençol embrulhando o esqueleto...

– Você tem razão, minha filha. Essa imagem da Morte é coisa da Idade Média, o tempo mais trágico e triste da História. A Morte não é nada disso. É um bem. É um remédio... É o Grande Remédio. Quando um doente está sofrendo na maior agonia, a Morte vem como o fim da dor.

– Morte de que eu gosto – disse Pedrinho – é aquela dos americanos...

Ninguém entendeu. Ele explicou.

— Lembram-se daquela fita que vimos no cinema, Horas roubadas? A Morte era Mister Ceifas, um moço muito elegante e delicado, mas de rosto impassível. Entrou naquele jardim e com um gesto muito amável convidou o velho entrevado a ir com ele. O velho não quis. Mister Ceifas não se aborreceu. Ficou por ali. De repente, o velho quis morrer e então Mister Ceifas aproximou-se da cadeira de rodas, leve como se fosse um moço, e lá se foi pela mão de Mister Ceifas... Que beleza! Eu gostei tanto que perdi o medo da morte. Se ela é assim, que venha buscar-me. Sairei pela mão de Mister Ceifas tal qual aquele velho – feliz, sorrindo e gozando a beleza das paisagens do outro mundo...

O ÚTIL E O BELO

Parou um veado à beira do rio, mirando-se no espelho das águas. E refletiu:

– Bem malfeito de corpo que sou! A cabeça é linda, com esses formosos chifres que todos os animais invejam. Mas as pernas... Muito finas, muito compridas. A natureza foi injusta comigo. Antes me desse menos pernas e mais galharada na cabeça. Que lindo diadema seria! Com que orgulho eu passearia pelos bosques ostentando um enfeite único em toda animalidade!...

Neste ponto interrompe-o o latido dos veadeiros, valentes cães de caça que lhe vinham na pista, como relâmpagos.

O veado dispara, foge à toda e embrenha-se na floresta. E enquanto corria pôde verificar quão sábia fora a natureza dando-lhe mais pernas do que chifres, porque estes, com toda sua formosura, só serviam para enroscar-se nos cipós e atrapalhar-lhe a fuga; e aquelas, apesar de toda feiura, constituíam sua única segurança. E mudou de ideia, convencido de que antes mil vezes pernas finas, mas velocíssimas do que formosa, mas inútil galhaça.

– Se os chifres desse veado só serviam para enfeite, então a fábula está certa – disse Emília. – Mas quando um chifre é como o do Quindim, ah, então vale ainda mais do que pernas. Quindim nem sabe correr, porque não precisa fugir. Em vez de fugir na volada, como as lebres e os veadinhos, ele faz *muuuu!*... e espeta o inimigo.

– E que é, Emília, que você acha melhor – perguntou Narizinho –, o útil ou o belo?

– Acho melhor os dois encangados, assim como uma espécie de banana inconha. Útil e belo ao mesmo tempo. Por que é que uma coisa útil deve ser feia? Não há razão.

AS AVES DE RAPINA E OS POMBOS

A guerra dos rapinantes – quando isto foi? Há séculos. Há mil anos. Mas foi guerra tão terrível que até hoje se fala nela.

Brigaram as aves de rapina – águias, abutres, gaviões, milhafres, por causa de um veadinho novo. E separaram-se em campos contrários, rompidos em guerra franca. Durante meses o azul do céu virou arena de luta. Ora duelos singulares; ora ataques de um bandido contra outro; ora um grupo que agredia um inimigo escoteiro.

E adeus, paz do azul! Volta e meia era um corpo que caía, espedaçado a unhaços; ou penas que desciam em aspirais, ou gotas de sangue a pingar. As aves pacíficas da terra, assustadas com aqueles horrores, deliberam intervir. E escolheram como mensageiro a pomba.

– Vá você que é sinaleira da paz, e reduza à razão aqueles loucos furiosos.

A pombinha foi conferenciar com os chefes, e com tanta eloquência falou que eles a ouviram e assinaram um tratado, comprometendo--se a nunca mais se devorarem uns aos outros.

Mas o que depois disso sucedeu degenerou em calamidade para os apaziguadores. Harmonizados entre si, os rapinantes pouparam-se uns aos outros, mas deram de empregar toda a força dos bicos e todo o fio das unhas contra as pobres pombas. E foi uma chacina sem tréguas que dura até hoje e durará eternamente.

E as pombinhas entraram a murmurar, num queixume triste:

– Que tolice a nossa de restabelecer a harmonia entre os rapinantes! A boa política mandava fazer justamente o contrário – dividi-los ainda mais...

– Houve mesmo essa guerra, Dona Benta? – perguntou Tia Nastácia, que vinha entrando com um prato de pés-de-moleque ainda quentinhos! – Judiação, as malvadas matarem as pombinhas...

Emília pôs as mãos na cintura.

– Que graça, esta assassina achar judiação águia matar pombas! Quem é que ontem torceu o pescoço do frango carijó? Quem é que na semana passada matou aquele leitãozinho? Quem é que...

– Pare, Emília! – disse Dona Benta. – Você está se afastando muito da fábula. Quero saber qual é a moralidade do caso das aves de rapina e as pombas.

Pedrinho gritou:

– Eu sei, vovó! Dividir é enfraquecer – não é isso mesmo?

O BURRO NA PELE DO LEÃO

Certo burro de ideias, cansado de ser burro, deliberou fazer-se leão.

– Mas como, estúpida criatura?

– Muito bem. Há ali uma pele de leão. Visto-a e pronto! Viro leão.

Assim fez. Vestiu-a e pôs-se a caminhar pela floresta, majestosamente, convencido de que era o rei dos animais.

Não demorou muito e apareceu o dono.

"Vou pregar-lhe o maior susto da vida" – pensou lá consigo o animalejo – e lançando-se à frente do homem desferiu um formidável urro. Em vez de urro, porém, saiu o que podia sair de um burro: um zurro.

O homem desconfiou.

– Leão que zurra!... Que história é esta? – firmou a vista e logo notou que o tal leão tinha orelhas de asno.

– Leão que zurra e tem orelhas de asno há de ser o raio do Cuitelo que me fugiu ontem do pasto. Grandissíssimo velhaco! Espera aí...

E agarrou-o. Tirou-lhe a pele de leão, dobrou-a, fez dela um pelego, e, montando no pobre bicho, tocou-o para casa no trote.

– Toma, leão de uma figa! Toma... – e pregava-lhe valentes lambadas.

Quem vestir pele de leão, nem zurre nem deixe as orelhas de fora.

– Bravos! – gritou Pedrinho batendo palmas. – Está aí uma fábula que acho muito pitoresca. Gostei.

– Pois eu não gostei – berrou Emília –, porque trata com desprezo um animal tão inteligente e bom como o burro. Por que é que esse fabulista fala em "estúpida criatura"? E por que chama o pobre burro de "animalejo"? Animalejo é a vó dele...

– Emília! – repreendeu Dona Benta. – Mais respeito com a avó dos outros.

– É que não suporto essa mania de insultar um ente tão sensato e precioso como é o burro. Quando um homem quer xingar outro, diz: "Burro! Você é um burro!", e no entanto há burros que são verdadeiros Sócrates da filosofia, como o Conselheiro[7]. Quando um homem quiser xingar outro, o que deve dizer é uma coisa só: "Você é um homem, sabe? Um grandíssimo homem!". Mas chamar de burro é, para mim, o maior dos elogios. É o mesmo que dizer: "Você é um Sócrates! Você é um grandíssimo Sócrates...".

7. Nota da editora: Este personagem é apresentado em *Reinações de Narizinho*.

A RAPOSA SEM RABO

Certa raposa caiu numa armadilha. Debateu-se, gemeu, chorou e finalmente conseguiu fugir, embora deixando na ratoeira sua linda cauda. Pobre raposa! Andava agora triste, sorumbática, sem coragem de aparecer diante das outras, com receio de vaia.

Mas de tanto pensar no seu caso teve a ideia de convocar o povo raposeiro para uma grande reunião.

– Assunto gravíssimo! – explicou ela. – Assunto que interessa a todos os animais.

Reuniram-se as raposas e a derrabada, tomando a palavra, disse:

– Amigas, respondam-me por obséquio: que serventia tem para nós a cauda? Bonita não é, útil não é, honrosa não é... Por que então continuarmos a trazer este grotesco apêndice às costas? Fora com ele! Derrabemo-nos todas e fiquemos graciosas como as preás.

As ouvintes estranharam aquelas ideias e, matreiras como são, suspeitaram qualquer coisa. Ergueram-se do seu lugar e, dirigindo-se à oradora, pediram:

– Muito bem. Mas cortaremos primeiro a sua. Vire-se para cá, faça o favor...

A pobre raposa, desapontada, teve de obedecer à intimação. Voltou de costas.

Foi uma gargalhada geral.

– Está explicado o empenho dela em nos fazer mais bonitas. Fora! Fora com a derrabada!...

E correram-na dali.

– Isso é bem certo – disse Dona Benta. – Se uma pessoa que tem um defeito conseguisse que o mundo inteiro também tivesse o mesmo defeito, que acontecia, Pedrinho?

– Acontecia que quem não tivesse o tal defeito é que era o defeituoso.

– Exatamente. Há certos lugarejos aí pelo sertão em que todos os moradores ficam com uns enormes papos. Um dia um viajante entrou na casa de uma família de papudos e viu na parede o retrato de um moço sem papo. "Quem é ele?" – perguntou. E a dona da casa respondeu: "Ah, esse é meu filho Totonho, no tempo em que era defeituoso". "E agora não é mais?" – perguntou o viajante. "Felizmente sarou" – respondeu a papuda. "Está já com o pescoço bem cheio, como o meu" – e alisou com a mão aquela papeira lustrosa...

O PERU MEDROSO

Gordo peru e lindo galo costumavam empoleirar-se na mesma árvore. A raposa os avistou e veio vindo contente, a lamber os beiços como quem diz: "Temos petisco hoje!".

Chegou. Ao avistá-la, o peru leva tamanho susto que por um triz não cai da árvore. Já o galo o que fez foi rir-se; e como sabia que trepar em árvore a raposa não trepava, fechou os olhos e adormeceu.

O peru, coitado, medroso como era, tremia como varas verdes e não tirava do inimigo os olhos.

"O galo não apanho, mas este peru cai-me no papo já..." – pensou consigo a raposa.

E começou a fazer caretas medonhas, a dar pinotes, a roncar, a trincar os dentes, dando a impressão de uma raposa louca. Pobre peru! Cada vez mais apavorado, não perdia de vista um só daqueles movimentos. Por fim tonteou, caiu do galho e veio ter aos dentes da raposa faminta.

– Estúpido animal! – exclamou o galo acordando. – Morreu por excesso de cautela. Tanta atenção prestou nos arreganhos da raposa, tanto atendeu aos perigos, que lá se foi, *catrapus*...

A *prudência manda não atentar demais nos perigos*.

– Eu conheci um homem assim – disse Dona Benta. – Tomava um milhão de precauções para evitar males. Só bebia água filtrada.

Andava pelo meio da rua para evitar que lhe caíssem sobre a cabeça os vasos de flor das janelas. Desinfetava as mãos sempre que dizia adeus a alguém...

— E que fim levou esse homem, vovó?

— Morreu de um desastre de aviação.

— Mas se ele tinha tanto medo de tudo, como teve coragem de voar?

— Ele não estava voando, meu filho. O avião caiu em cima dele, na rua.

O LEÃO, O LOBO E A RAPOSA

Um leão muito velho e já caduco andava morre não morre.

Mas, apegado à vida e sempre esperançado, deu ordem aos animais para que o visitassem e lhe ensinassem remédios.

Assim aconteceu. A bicharia inteira desfilou diante dele, cada qual com um remédio ou um conselho.

Mas a raposa? Por que não vinha?

– Eu sei – disse um lobo intrigante, inimigo pessoal da raposa. – Ela é uma finória, acha que vossa majestade morre logo e é bobagem andar a perder tempo com cacos de vida.

Enfureceu-se o leão e mandou buscar a raposa debaixo de vara.

– Então é assim que me trata, ó vilíssimo animal? Esquece que eu sou o rei da floresta?

A raposa interrompeu-o:

– Perdão, majestade! Se não vim até agora é que andava em peregrinação pelos oráculos, consultando-os a respeito da doença que abate o ânimo do meu querido rei. E não perdi a viagem, visto como trago a única receita capaz de produzir melhoras na real saúde de vossa majestade.

– Diga lá o que é – ordenou o leão, já calmo.

– É combater a frialdade que entorpece os vossos membros com um "capote de lobo".

– Que é isso?

– Capote de lobo é uma pele ainda quente de lobo escorchado na horinha. E como está aqui mestre lobo, súdito fiel de vossa majestade, vai ele sentir um prazer imenso em emprestar a pele ao seu real senhor.

O leão gostou da receita, escorchou o lobo, embrulhou-se na pele fumegante e ainda por cima lhe comeu a carne.

A raposa, vingada, retirou-se, murmurando:

– Toma! Para intrigante, intrigante e meio...

– Bem feito! – exclamou Emília. – Essa raposa merece um doce. E com certeza o tal lobo era aquele que comeu a avó de Capinha Vermelha.

– Boba! Aquele foi morto a machadadas pelo lenhador – disse Narizinho.

– Eu sei – tornou Emília –, mas nas histórias a matança nunca é completa. Nunca o morto fica bem matado – e volta a si outra vez. Você bem viu no caso do Capitão Gancho. Quantas vezes Peter Pan deu cabo dele? E o Capitão Gancho continua cada vez mais gordo e ganchudo.

– Por que é, vovó, que em todas as histórias a raposa sai sempre ganhando? – quis saber Pedrinho.

– Porque a raposa é realmente astuta. Sabe defender-se, sabe enganar os inimigos. Por isso, quando um homem quer dizer que o outro é muito hábil em manhas, diz: "Fulano de Tal é uma verdadeira raposa!". Aqui nesta fábula você viu com que arte ela virou contra o lobo o perigo que a ameaçava. Ninguém pode com os astutos.

O SABIÁ NA GAIOLA

Lamentava-se na gaiola um velho sabiá.

– Que triste destino o meu, nesta prisão toda a vida. E que saudades dos bons tempos de outrora, quando minha vida era um contínuo pular de galho em galho à procura das laranjas mais belas. Madrugador, quem primeiro saudava a luz da manhã era eu, como era eu o último a despedir-me do sol à tardinha. Cantava e era feliz.

Um dia, traiçoeiro visgo me ligou os pés. Esvoacei, debati-me em vão e vim acabar nesta gaiola horrível, onde saudoso choro o tempo da liberdade. Que triste destino o meu! Haverá no mundo maior desgraça?

Nisto abre-se a porta da sala e entra o caçador, de espingarda ao ombro e uma fieira de pássaros na mão.

Ante o espetáculo das míseras avezinhas estraçalhadas a tiro, gotejantes de sangue, algumas ainda em agonia, o sabiá estremeceu.

E horripilado verificou não ser dos mais infelizes, pois que vivia e ainda não perdera a esperança de recobrar a liberdade de outrora.

Refletiu sobre o caso e murmurou consigo:

– Antes penar que morrer...

– Será verdade isso, vovó? Será certo esse "antes penar que morrer"?

– Depende da ideia que a gente faz da morte, minha filha. Quem a considera um Mister Ceifas, ah, esse prefere a amável visita de Mister Ceifas ao tal penar.

– E que é penar?

– É sofrer dor prolongada, é sofrer um castigo, uma pena.

– Mas como é que pena é ao mesmo tempo dor e aquilo das aves? Isso atrapalha a gente. Emília, quando ainda era uma coitadinha que estava decorando as palavras, uma vez confundiu as duas penas – a pena dor e a pena pena, e veio da cozinha dizendo: "Tia Nastácia está contando para Visconde que para pena de costas o melhor remédio é passar iodo com uma dor de galinha". Ela havia trocado as bolas...

– São coisas do latim, minha filha. Nessa língua havia duas palavras parecidas: poena e penna. A primeira virou em nossa língua "pena" – pena-dor; e a segunda ficou penna mesmo – a tal das aves.

– E depois a penna das aves perdeu uma peninha e virou pena com um n só, igual à pena-dor – concluiu Emília –, e agora está aí, está aí, está aí...

– Está aí o quê, Emília?

– Está aí um grande embrulho...

QUALIDADE E QUANTIDADE

Meteu-se um mono a falar numa roda de sábios e tais asneiras disse que foi corrido a pontapés.

– Quê? – exclamou ele. – Enxotam-me daqui? Negam-me talento? Pois hei de provar que sou um grande figurão e vocês não passam de uns idiotas.

Enterrou o chapéu na cabeça e dirigiu-se à praça pública onde se apinhava copiosa multidão de beócios. Lá trepou em cima de uma pipa e pôs-se a declamar. Disse asneiras como nunca, tolices de duas arrobas, besteiras de dar com um pau. Mas como gesticulava e berrava furiosamente, o povo em delírio o aplaudiu com palmas e vivas – e acabou carregando-o em triunfo.

– Viram? – resmungou ele ao passar ao pé dos sábios. – Reconheceram a minha força? Respondam-me agora: que vale a opinião de vocês diante desta vitória popular?

Um dos sábios retrucou serenamente:

– *A opinião da qualidade despreza a opinião da quantidade.*

– Nada mais certo, meus filhos – disse Dona Benta. – Logo que os homens se reúnem em multidão, o nível mental baixa muito. Quanto maior a multidão, mais baixo o nível mental. Por isso é que os sábios têm tanto medo às multidões.

– A senhora já nos contou aquele caso lá da Grécia – lembra-se?

– Sim, o caso do orador que estava fazendo um discurso para o povo. De repente rebataram tremendos aplausos. O orador voltou-se para um amigo ao lado: "Será que eu disse alguma asneira?".

O CÃO E O LOBO

Um lobo muito magro e faminto, todo pele e ossos, pôs-se um dia a filosofar sobre as tristezas da vida. E nisso estava quando lhe surge pela frente um cão – mas um cão e tanto, gordo, forte, de pelo fino e lustroso.

Espicaçado pela fome, o lobo teve ímpeto de atirar-se a ele. A prudência, entretanto, cochichou-lhe ao ouvido: "Cuidado! Quem se mete a lutar com um cão desses sai perdendo".

O lobo aproximou-se do cão com toda a cautela e disse:

– Bravos! Palavra de honra que nunca vi um cão mais gordo nem mais forte. Que pernas rijas, que pelo macio! Vê-se que o amigo se trata...

– É verdade! – respondeu o cão. – Confesso que tenho tratamento de fidalgo. Mas, amigo lobo, suponho que você pode levar a mesma boa vida que levo.

– Como?

– Basta que abandone esse viver errante, esses hábitos selvagens e se civilize, como eu.

– Explique-me lá isso por miúdo – pediu o lobo com um brilho de esperança nos olhos.

– É fácil. Eu apresento você ao meu senhor. Ele, está claro, simpatiza-se e dá a você o mesmo tratamento que dá a mim: bons ossos de galinha, restos de carne, um canil com palha macia. Além disso, agrados, mimos a toda hora, palmadas amigas, um nome.

– Aceito! – respondeu o lobo. – Quem não deixará uma vida miserável como esta por uma de regalos assim?

– Em troca disso – continuou o cão – você guardará o terreiro, não deixando entrar ladrões nem vagabundos. Agradará ao senhor e à sua família, sacudindo a cauda e lambendo a mão de todos.

– Fechado! – resolveu o lobo – e emparelhando-se com o cachorro partiu a caminho da casa. Logo, porém, notou que o cachorro estava de coleira.

– Que diabo é isso que você tem no pescoço?

– É a coleira.

– E para que serve?

– Para me prenderem à corrente.

– Então não é livre, não vai para onde quer, como eu?

– Nem sempre. Passo às vezes vários dias preso, conforme a veneta do meu senhor. Mas que tem isso, se a comida é boa e vem à hora certa?

O lobo entreparou, refletiu e disse:

– Sabe do que mais? Até logo! Prefiro viver magro e faminto, porém livre e dono do meu focinho, a viver gordo e liso como você, mas de coleira ao pescoço. Fique-se lá com a sua gordura de escravo que eu me contento com a minha magreza de lobo livre.

E afundou no mato.

– Fez muito bem! – berrou Emília. – Isso de coleira, o diabo queira...
Narizinho bateu palmas.

– E não é que ela fez um versinho, vovó? "Isso de coleira, o diabo queira..." Bonito, hein?...

– Bonito e certo – continuou Emília. – Eu sou como esse lobo. Ninguém me segura. Ninguém me bota coleira. Ninguém me governa. Ninguém me...

– Chega de "mes", Emília. Vovó está com cara de querer falar sobre a liberdade.

– Talvez não seja preciso, minha filha. Vocês sabem tão bem o que é liberdade que nunca me lembro de falar disso.

– Nada mais certo, vovó! – gritou Pedrinho. – Este seu sítio é o suco da liberdade; e se eu fosse refazer a natureza, igualava o mundo a isto aqui. Vida boa, vida certa, só no Picapau Amarelo.

– Pois o segredo, meu filho, é um só: liberdade. Aqui não há coleira. A grande desgraça do mundo é a coleira. E como há coleiras espalhadas pelo mundo!

O CORVO E O PAVÃO

O pavão, de roda aberta em forma de leque, dizia com desprezo ao corvo:

– Repare como sou belo! Que cauda, hein? Que cores, que maravilhosa plumagem! Sou das aves a mais formosa, a mais perfeita, não?

– Não há dúvida que você é um belo bicho – disse o corvo. – Mas, perfeito? Alto lá!

– Quem quer criticar-me! Um bicho preto, capenga, desengraçado e, além disso, ave de mau agouro... Que falha você vê em mim, ó tição de penas?

O corvo respondeu:

– Noto que para abater o orgulho dos pavões a natureza lhes deu um par de patas que, faça-me o favor, envergonharia até a um pobre diabo como eu...

O pavão, que nunca tinha reparado nos próprios pés, abaixou-se e contemplou-os longamente. E, desapontado, foi andando o seu caminho sem replicar coisa nenhuma.

Tinha razão o corvo: não há beleza sem senão.

– Que quer dizer "senão", vovó?

– Aqui nesta frase quer dizer "defeito".

– E por que "senão" é defeito?

– Porque o modo de botar um defeito em alguém ou alguma coisa era sempre por meio do "senão" – e por fim essa palavra ficou sinônima de defeito. "Fulana seria muito bonitinha, senão fosse aquele nariz de coruja." "Esse doce estaria ótimo, senão fosse estar doce demais" – e assim por diante.

– Mas é verdade, vovó, que não há mesmo beleza sem senão?

– A fábula diz que não há e as fábulas sabem...

– São sabidíssimas, sim! – continuou Emília. – E a dos filhos da coruja é a mais sabida de todas. Quem é que andou inventando as fábulas, Dona Benta? Foram os animais mesmo?

Dona Benta riu-se.

– Não, Emília. Quem inventou a fábula foi o povo e os escritores as foram aperfeiçoando. A sabedoria que há nas fábulas é a mesma sabedoria do povo, adquirida à força de experiências.

– Mas não haverá mesmo beleza sem senão, vovó? – insistiu a menina.

– Há, sim, minha filha. Para mim, por exemplo, você é uma belezinha sem senão.

Emília torceu o nariz. Depois prometeu escrever uma fábula com o título: "Os netos da coruja".

OS ANIMAIS E A PESTE

Em certo ano terrível de peste entre os animais, o leão, mais apreensivo, consultou um mono de barbas brancas.

– Esta peste é um castigo do céu – respondeu o mono –, e o remédio é aplacarmos a cólera divina sacrificando aos deuses um de nós.

– Qual? – perguntou o leão.

– O mais carregado de crimes.

O leão fechou os olhos, concentrou-se e, depois de uma pausa, disse aos súditos reunidos em redor:

– Amigos! É fora de dúvida que quem deve se sacrificar sou eu. Cometi grandes crimes, matei centenas de veados, devorei inúmeras ovelhas e até vários pastores. Ofereço-me, pois, para o sacrifício necessário ao bem comum.

A raposa adiantou-se e disse:

– Acho conveniente ouvir a confissão das outras feras. Porque, para mim, nada do que vossa majestade alegou constitui crime. Matar veados – desprezíveis criaturas; devorar ovelhas – mesquinhos bichos de nenhuma importância; trucidar pastores – raça vil, merecedora de extermínio! Nada disso é crime. São coisas que até muito honram o nosso virtuosíssimo rei Leão.

Grandes aplausos abafaram as últimas palavras da bajuladora – e o leão foi posto de lado como impróprio para o sacrifício.

Apresenta-se em seguida o tigre e repete-se a cena. Acusa-se de mil crimes, mas a raposa mostra que também o tigre era um anjo de inocência.

E o mesmo aconteceu com todas as outras feras.

Nisto chega a vez do burro. Adianta-se o pobre animal e diz:

– A consciência só me acusa de haver comido uma folha de couve na horta do senhor vigário.

Os animais entreolharam-se. Era muito sério aquilo. A raposa toma a palavra.

– Eis, amigos, o grande criminoso! Tão horrível o que ele nos conta, que é inútil prosseguirmos na investigação. A vítima a sacrificar-se aos deuses não pode ser outra, porque não pode haver crime maior do que furtar a sacratíssima couve do senhor vigário.

Toda a bicharada concordou e o triste burro foi unanimamente eleito para o sacrifício.

Aos poderosos tudo se desculpa; aos miseráveis nada se perdoa.

– Viva! Viva!... Esta é a fábula do Burro Falante. – E Pedrinho recordou todos os incidentes daquele dia lá no País das Fábulas. – Esta história estava se desenvolvendo, e no instante em que as feras iam matar o pobre burro, o Peninha derrubou do alto do morro uma enorme pedra sobre as fuças do leão.

– Salvamos o Conselheiro – disse Emília –, mas o fabulista pegou um segundo burro para poder completar a fábula. Pobre segundo burro!... – E Emília suspirou.

– Esta fábula me parece muito boa, vovó – opinou Narizinho.

– E é, minha filha. Retrata as injustiças da justiça humana. A tal justiça humana é implacável contra os fracos e pequeninos – mas não é capaz de pôr as mãos num grande, num poderoso.

– Falta um Peninha que dê com pedras do tamanho do Corcovado no focinho do Leão da injustiça...

O CARREIRO E O PAPAGAIO

Vinha um carreiro à frente dos bois, cantarolando pela estrada sem fim. Estrada de lama.

Em certo ponto o carro atolou.

O pobre homem aguilhoa os bois, dá pancadas, grita; nada consegue e põe-se a lamentar a sorte.

– Desgraçado que sou! Que fazer agora, sozinho neste deserto? Se ao menos São Benedito tivesse dó de mim e me ajudasse...

Um papagaio escondido entre as folhas condoeu-se dele e, imitando a voz de santo, começou a falar:

– Os céus te ouviram, amigo, e Benedito em pessoa aqui está para o ajutório que pedes.

O carreiro, num assombro, exclama:

– Obrigado, meu santo! Mas onde estás que não te vejo?

– Ao teu lado. Não me vês porque sou invisível. Mas, vamos, faze o que mando. Toma da enxada e cava aqui. Isso. Agora a mesma coisa do outro lado. Isso. Agora vais cortar uns ramos e estivar o sulco aberto. Isso. Agora vais aguilhoar os bois.

O carreiro fez tudo como o papagaio mandou e com grande alegria viu desatolar-se o carro.

– Obrigado, meu santo! – exclamou ele de mão postas. – Nunca me hei de esquecer do grande socorro prestado, pois que sem ele eu ficaria aqui toda a vida.

O papagaio achou muita graça na ingenuidade do homem e papagueou, como despedida, um velho rifão popular:

– *Ajuda-te, que o céu te ajudará.*

– Como são sabidinhos esses bichos das fábulas! Esse papagaio, então, está um suco!

– Suco de quê, minha filha? – perguntou Dona Benta.

– De sabedoria, vovó! O meio de a gente se sair de uma dificuldade é sempre esse – lutar, lutar...

– Eu sei de outro muito melhor – disse Emília. – Dez vezes melhor...

A menina admirou-se.

– Qual é, Emília?

– É quando todos estão desesperados e tontos, sem saber o que fazer, voltarem-se para mim e: "Emília, acuda!", e eu vou e aplico o faz-de-conta e resolvo o problema. Aqui nesta casa ninguém luta para resolver as dificuldades; todos apelam para mim...

– E você manda o Visconde. Sem o faz-de-conta e o Visconde ela não se arranja.

– Mas o caso é que os problemas se resolvem. É ou não?

Narizinho teve de concordar com ela.

O MACACO E O GATO

Simão, o macaco, e Bichano, o gato, moram juntos na mesma casa. E pintam o sete. Um furta coisas, remexe gavetas, esconde tesourinhas, atormenta o papagaio; outro arranha os tapetes, esfiapa as almofadas e bebe o leite das crianças.

Mas, apesar de amigos e sócios, o macaco sabe agir com tal maromba que é quem sai ganhando sempre.

Foi assim no caso das castanhas.

A cozinheira pusera a assar nas brasas umas castanhas e fora à horta colher temperos. Vendo a cozinha vazia, os dois malandros se aproximaram. Disse o macaco:

– Amigo Bichano, você, que tem uma pata jeitosa, tire as castanhas do fogo.

O gato não se fez insistir e com muita arte começou a tirar as castanhas.

– Pronto, uma...

– Agora aquela de lá... Isso. Agora aquela gorducha... Isso. E mais a da esquerda, que estalou...

O gato as tirava, mas quem as comia, gulosamente, piscando o olho, era o macaco...

De repente, eis que surge a cozinheira, furiosa, de vara na mão.

– Espere aí, diabada!...

Os dois gatunos sumiram-se aos pinotes.

– Boa peça, hein? – disse o macaco lá longe.

O gato suspirou:

– Para você, que comeu as castanhas. Para mim foi péssima, pois arrisquei o pelo e fiquei em jejum, sem saber que gosto tem uma castanha assada...

O bom-bocado não é para quem o faz, é para quem o come.

– Quem é bobo, peça a Deus que o mate e ao diabo que o carregue – comentou Emília.

O Visconde vinha entrando. Ouviu a discussão e disse:

– Aqui está um que nunca jamais teve o gosto de comer o bom-bocado. Quando chega a vez dele, aparece sempre alguém que o logra.

Todos compreenderam a indireta...

A MOSCA E A FORMIGUINHA

– Sou fidalga! – dizia a mosca à formiguinha que passava carregando uma folha de roseira. – Não trabalho, pouso em todas as mesas, lambisco de todos os manjares, passeio sobre o colo das donzelas – e até me sento no nariz. Que vidão regalado o meu...

A formiguinha arriou a carga, enxugou a testa e disse:

– Apesar de tudo, não invejo a sorte das moscas. São malvistas. Ninguém as estima. Toda gente as enxota com asco. E o pior é que têm um berço degradante: nascem nas esterqueiras.

– Ora, ora! – exclamou a mosca. – Viva eu quente e ria-se a gente.

– E além de imundas são cínicas – continuou a formiga. – Não passam de umas parasitas – e parasita é sinônimo de ladrão. Já a mim todos me respeitam. Sou rica pelo meu trabalho, tenho casa própria onde nada me falta durante o rigor do mau tempo. E você? Você, basta que fechem a porta da cozinha e já está sem o que comer. Não troco a minha honesta vida de operária pela vida dourada dos filantes.

– Quem desdenha quer comprar – murmurou ironicamente a mosca.

Dias depois a formiga encontrou a mosca a debater-se numa vidraça.

– Então, fidalga, que é isso? – perguntou-lhe.

A prisioneira respondeu, muito aflita:

– Os donos da casa partiram de viagem e me deixaram trancada aqui. Estou, morrendo de fome e já exausta de tanto me debater.

A formiga repetiu as empáfias da mosca, imitando-lhe a voz: "Sou fidalga! Pouso em todas as mesas... Passeio pelo colo das donzelas...", e lá seguiu o seu caminho, apressadinha como sempre.

Quem quer colher, planta. E quem do alheio vive, um dia se engasga.

– Seria muito bom se fosse assim – disse o Visconde. – Mas muitas e muitas vezes um planta e quem colhe é o outro...

Emília fuzilou-o com os olhos. Aquilo era indireta das mais diretas. O Visconde, amedrontado, encolheu-se no seu cantinho.

OS DOIS BURRINHOS

Muito lampeiros, dois burrinhos de tropa seguiam trotando pela estrada além. O da frente conduzia bruacas de ouro em pó; e o de trás, simples sacos de farelo. Embora burros da mesma igualha, não queria o primeiro que o segundo lhe caminhasse ao lado.

– Alto lá! – dizia ele. – Não se emparelhe comigo, que quem carrega ouro não é do mesmo naipe de quem conduz farelo. Guarde cinco passos de distância e caminhe respeitoso como se fosse um pajem.

O burrinho do farelo submetia-se e lá trotava, de orelhas murchas, roendo-se de inveja do fidalgo...

De repente...

– Oah! Oah!...

São ladrões da montanha que surgem de trás de um toco e agarram os burrinhos pelos cabrestos.

Examinam primeiramente a carga do burro humilde:

– Farelo! – exclamaram desapontados. – O demo o leve! Vejamos se há coisa de mais valor no da frente.

– Ouro, ouro! – gritam, arregalando os olhos. E atiram-se ao saque.

Mas o burrinho resiste. Desfere coices e dispara pelo campo afora. Os ladrões correm atrás, cercam-no e lhe dão em cima, de pau e pedra. Afinal saqueiam-no.

Terminada a festa, o burrinho do ouro, mais morto que vivo e tão surrado que nem se suster em pé podia, reclama o auxílio do outro que muito fresco da vida tosava o capim sossegadamente.

– Socorro, amigo! Venha acudir-me que estou descadeirado...

O burrinho do farelo respondeu zombeteiramente:

– Mas poderei por acaso aproximar-me de vossa excelência?

– Como não? Minha fidalguia estava dentro da bruaca e lá se foi nas mãos daqueles patifes. Sem as bruacas de ouro no lombo, sou uma pobre besta igual a você...

– Bem sei. Você é como certos grandes homens do mundo que só valem pelo cargo que ocupam. No fundo, simples bestas de carga, eu, tu, eles...

E ajudou-o a regressar para casa, decorando, para uso próprio, a lição que ardia no lombo do vaidoso.

– Eis aqui, meus filhos, outra fábula bem boa – disse Dona Benta. – O mundo está cheio de orgulhosos deste naipe...

– Que é "naipe"? – quis saber Narizinho.

– É um termo usado para as cartas de jogar. Há quatro naipes – ouro, espadas, copas e paus.

– Então naipe quer dizer "qualidade", "tipo"? "Do mesmo naipe" quer dizer "do mesmo tipo"?

– Exatamente.

– E "igualha", vovó?

– É sinônimo de naipe.

– Então por que a senhora não diz logo "qualidade" em vez de "naipe" e "igualha"?

– Para variar, minha filha. Estou contando estas fábulas em estilo literário, e uma das qualidades do estilo literário é a variedade.

Pedrinho observou que o Coronel Teodorico fizera tal qual o burrinho do ouro. Quando se encheu de dinheiro, arrotou grandeza; mas depois que perdeu tudo nos maus negócios ficou de orelhas murchas e convencido de que era realmente uma perfeita cavalgadura.

O CAVALO E AS MUTUCAS

Um cavaleiro vinha chicoteando as mutucas pousadas no pescoço da cavalgadura. Volta e meia, *plaf!*, uma lambada e era um inseto de menos.

Mas o homem só chicoteava as mutucas pesadonas, já empanturradas de sangue.

Em certo ponto o cavalo perdeu a paciência e disse:

– Julgas que me prestas um serviço e no entanto...

– No entanto quê, cavalo! Pois livro-te das mutucas e ainda não estás contente?

– Benefício seria se matasses as magras e poupasses as gordas. Porque as gordas, fartas que estão, nenhum malefício me fazem, ao passo que as outras, famintas, me torturam sem dó. Matando só as inofensivas, o bem que me queres fazer transforma-se em mal, porque sofro a dor da lambada e nada de lucro com a morte dos bichinhos.

Quantos benefícios assim, benefícios só na aparência!...

– De quem é esta fábula, vovó? De Monsieur de La Fontaine ou de Esopo?

De nenhum dos dois, meu filho. É minha...

– Sua?... Pois a senhora também é fabulista?

– Às vezes... Esta fábula me ocorreu no dia em que o compadre esteve aqui montado naquele pampa. Ele não apeou. E enquanto falava ia chicoteando as mutucas gordas, só as gordas. Ao ver aquilo, a fábula formou-se em minha cabeça.

– Pois acho que ele fazia muito bem – berrou Emília. – As gordas, as já cheias de sangue, voam dali e vão botar ovos de onde saem mais mutucas. E as magras, as ainda vazias, podem falhar. O cavalo não pensou nisso.

– Falhar como, Emília?

– Podem, por qualquer motivo, não se encherem e não porem ovos.

Dona Benta riu-se e explicou que o cavalo falava do seu ponto de vista de vítima das mordidelas. Se a vítima das mutucas fosse Emília, o mais certo era ela pensar exatamente como o cavalo. Tudo neste mundo depende do ponto de vista.

O RATINHO, O GATO E O GALO

Certa manhã um ratinho saiu do buraco pela primeira vez. Queria conhecer o mundo e travar relações com tanta coisa bonita de que falavam seus amigos.

Admirou a luz do sol, o verdor das árvores, a correnteza dos ribeirões, a habitação dos homens. E acabou penetrando no quintal de uma casa da roça.

– Sim senhor! É interessante isto!

Examinou tudo minuciosamente, farejou a tulha de milho e a estrebaria. Em seguida notou no terreiro um certo animal de belo pelo que dormia sossegado ao sol. Aproximou-se dele e farejou-o sem receio nenhum.

Nisso aparece um galo, que bate as asas e canta.

O ratinho por um triz que não morreu de susto. Arrepiou-se todo e disparou como um raio para a toca. Lá contou à mamãe as aventuras do passeio.

– Observei muita coisa interessante – disse ele –, mas nada me impressionou tanto como dois animais que vi no terreiro. Um, de pelo macio e ar bondoso, seduziu-me logo. Devia ser um desses bons amigos da nossa gente, e lamentei que estivesse a dormir, impedindo-me assim de cumprimentá-lo. O outro... Ai, que ainda me bate o coração! O outro era um bicho feroz, de penas amarelas, bico pontudo, crista vermelha e aspecto ameaçador. Bateu as asas barulhentamente, abriu o bico e soltou um *có-ri-có-có* tamanho que quase caí de costas. Fugi. Fugi com quantas pernas tinha, percebendo que devia ser o famoso gato que tamanha destruição faz no nosso povo.

A mamãe-rata assustou-se e disse:

– Como te enganas, meu filho! O bicho de pelo macio e ar bondoso é que é o terrível gato. O outro, barulhento e espavantado, de olhar feroz e crista rubra, o outro, filhinho, é o galo, uma ave que nunca nos fez mal nenhum. As aparências enganam. Aproveita, pois, a lição e fica sabendo que:

Quem vê cara não vê coração.

Emília fez cara de piedade.

– Coitadinho! Era de uma burrice sem par. Farejou o gato! Um ratinho a farejar gato! Acho isso um absurdo. Só se era um gato morto...

– Por que absurdo, Emília?

– Porque o Visconde diz que os animais do "naipe" dos ratos já nascem sabendo o que é gato. Adivinham gato pelo cheiro. Por isso digo: ou o gato estava morto, ou o ratinho estava endefluxado...

Dona Benta explicou que os fabulistas não têm o rigor dos naturalistas e muitas vezes torcem as coisas para que a fábula saia certa.

– Boa moda! – exclamou Emília. – Errar de um lado para acertar de outro...

Narizinho disse que os poetas usam muito esse processo, chamado "licença poética". Eles sacrificam a verdade à rima. Os fabulistas também são poetas ao seu modo.

OS DOIS POMBINHOS

Eram felizes. Queriam-se muito e contentavam-se com o que tinham. Mas um deles perdeu a cabeça e, farto de tanta paz, encasquetou na cabeça a ideia de correr mundo.

– Para quê? – advertiu o companheiro. – Não é tão sossegado aqui neste remanso?

– Quero ver terras novas, respirar novos ares.

– Não vá! Há mil perigos pelo caminho, incertezas, traições. Além disso, o tempo não é próprio. Época de temporais.

De nada valeram os bons avisos. O pombinho assanhado beijou o companheiro e partiu.

Nem de propósito, uma hora depois o céu se tolda, os ventos rugem. O imprudente viajante aguenta o temporal inteiro fora de abrigo, encolhido numa árvore seca. Sofre horrores, mas salva-se, e quando veio a bonança pôde continuar a viagem. Dirigiu-se a um lindo arrozal, pensando:

"Que vidão irei passar neste mimoso tapete de verdura".

Ai!... Nem bem pousou e já se sentiu preso num laço.

Uma hora de desespero, a debater-se...

Foi feliz ainda. O laço, apodrecido pelas chuvas, rompeu-se e o pombinho safou-se. E fugiu, exausto, com várias penas de menos e um fio de barbante aos pés, a lhe embaraçar o voo.

Nisso um gavião surge e se precipita sobre ele com rapidez de fle-cha. O mísero pombinho, atarantando, mal tem tempo de abrigar--se no terreiro de um casebre de lavradores. Desse modo livrou-se do rapinante, mas não pôde se livrar de um menino que de bodoque em punho correu para cima dele e espeloteou-o.

Corre que corre, perereca que perereca, o mal-aventurado pombi-nho conseguiu ainda uma vez escapar, oculto num oco de pau.

E ali, curtindo as dores da asa quebrada, esperou pacientemente que o inimigo se fosse. Só então, com mil cautelas, pôde fugir para o ninho.

Ao vê-lo chegar, arrastando a asa, depenado, moído de canseira, o companheiro beijou-o por entre lágrimas e disse: "Bem certo o ditado: boa romaria faz quem em casa fica em paz".

– Não concordo, vovó! – disse Pedrinho. – Se toda gente ficasse fazendo romaria em casa, a vida perderia a graça. Eu gosto de aventu-ras, nem que volte de perna quebrada.

– Eu também! – berrou Emília. – E hei de escrever uma fábula o contrário dessa.

– Como?

– Assim que o pombinho viajante partiu, um caçador aparece e dá um tiro no que ficou fazendo romaria em casa. Quando o viajante volta, todo estropiado, vê as penas do companheiro no chão, mancha-das de sangue. Compreende tudo e diz: "Quem vai, volta estropiado; mas quem não vai cai na panela".

Dona Benta explicou a sabedoria popular é uma sabedoria de dois bicos. Muitos ditados são contraditórios.

– Há um que diz: "Quem espera sempre alcança", e outro diz: "Quem espera desespera". Conforme o caso, a gente escolhe um ou outro – e quem ouve elogia a sabedoria da sabedoria popular.

AS DUAS CACHORRAS

Moravam no mesmo bairro. Uma era boa e caridosa; a outra, má e ingrata. A boa, como fosse diligente, tinha a casa bem arranjadinha; a má, como fosse vagabunda, vivia ao léu, sem eira nem beira.

Certa vez a má, em véspera de dar cria, foi pedir agasalho à boa.

– Fico aqui num cantinho até que meus filhotes possam sair comigo. É por eles que peço...

A boa cedeu-lhe a casa inteira, generosamente.

Nasceu a ninhada, e os cachorrinhos já estavam de olhos abertos quando a dona da casa voltou.

– Podes entregar-me a casa agora?

A má pôs-se a choramingar.

– Ainda não, generosa amiga. Como posso viver na rua com filhinhos tão novos? Conceda-me um novo prazo.

A boa concedeu mais quinze dias, ao termo dos quais voltou.

– Vai sair agora?

– Paciência, minha velha, preciso de mais um mês.

A boa concedeu mais quinze dias, e ao terminar o último prazo voltou; mas desta vez a intrusa, rodeada dos filhos já crescidos, robustos e de dentes arreganhados, recebeu-a com insolência:

– Quer a casa? Pois venha tomá-la, se é capaz...

Para os maus, pau!

– Ótima, vovó! – exclamou a menina. – Gostei. Esta fábula merece grau dez.

– E me faz lembrar o mata-pau – disse Pedrinho. – O mata-pau é assim. Nasce numa árvore, todo humildezinho e fraquinho; mas vai crescendo, crescendo, e um dia estrangula a árvore que o acolheu.

Dona Benta explicou que aquela fábula punha em foco a ingratidão, sentimento muito comum entre os homens. E citou vários ingratos ali das redondezas.

– Em matéria de dinheiro há muita ingratidão assim. Um sujeito vem pedir um empréstimo. Vem de chapéu na mão, humilde como essa cachorra. Assim que se pilha servido, dá o coice.

Emília achou ótima a moralidade da fábula: "Para os maus, pau!".

– Isso mesmo! Pau no lombo deles!

– A dificuldade, Emília, está em conhecermos quem é o mau. Eles sabem disfarçar-se. Apresentam-se como essa cachorra, todos cheios de diminutivos – um "cantinho", uma "comidinha", um "dinheirinho"... E como havemos de adivinhar que isso é um disfarce, um preparo do terreno?

– Como? – disse Emília. – É boa!... Pelo diminutivo. Assim que um freguês vier com "inhos", é a gente ir pegando no pau e lascando...

A CABRA, O CABRITO E O LOBO

Antes de sair a pastar, a cabra, fechando a porta, disse ao cabritinho:

– Cuidado, meu filho. O mundo anda cheio de perigos. Não abra a porta a ninguém antes de pedir a senha.

– E qual é a senha, mamãe?

– A senha é: "Para os quintos do inferno o lobo e toda a sua raça maldita".

Decorou o cabritinho aquelas palavras e a cabra lá se foi, sossegada da vida.

Mas o lobo, que rondava por ali e ouvira a conversa, aproximou-se e bateu. E disfarçando a voz repetiu a senha.

O cabritinho correu a abrir, mas ao pôr a mão no ferrolho desconfiou. E pediu:

– Mostre-me a pata branca, faça o favor...

Pata branca era coisa que o lobo não tinha e, portanto não podia mostrar. E, assim, de focinho comprido, desapontadíssimo, o lobo não teve remédio senão ir-se embora como veio – isto é, de papo vazio. Desse modo salvou-se o cabritinho porque teve a boa ideia de *confiar desconfiando*.

– Esse cabritinho – disse Emília – é como eu e o Marechal Floriano Peixoto. Nós três confiamos desconfiando. Lobo nenhum nos embaça. Esse cabritinho aprendeu comigo.

– Como aprendeu com você, Emília, se você nunca o encontrou?

– É que ele adivinhou que eu penso assim...

Tia Nastácia, lá na copa, murmurou "Ché!...".

OS DOIS LADRÕES

Dois ladrões de animais furtaram certa vez um burro, e como não pudessem reparti-lo em dois pedaços surgiu a briga.

– O burro é meu! – alegava um. – O burro é meu porque o vi primeiro...

– Sim – argumentava o outro –, você o viu primeiro; mas quem primeiro o segurou fui eu. Logo, é meu...

Não havendo acordo possível, engalfinharam-se, rolaram na poeira aos socos e dentadas.

Enquanto isso um terceiro ladrão surge, monta no burro e foge de galope.

Finda a luta, quando os ladrões se ergueram, moídos da sova, rasgados, esfolados...

– Que é do burro?

Nem sombra! Riram-se – risadinha amarela – e um deles, que sabia latim, disse:

– *Inter duos litigantes tertius gaudet*, que quer dizer: *quando dois brigam, lucra um terceiro mais esperto.*

– Isso já me aconteceu uma vez – disse Pedrinho. – Briguei lá na escola por causa de uma pera, e quando terminou a briga, que é da pera? Estava no papo do Zezico, filho do Totó padeiro.

– E você deu também a tal risadinha amarela...

– Dei mas foi um tal murro no ladrão que ele quase vomitou a pera. Quem riu amarelo foi ele.

– Que adiantou? Ficou do mesmo jeito sem a pera.

– E o gosto? Uma forra dessas vale três peras.

Emília concordou.

A MUTUCA E O LEÃO

Cochilava o leão à porta de sua caverna no momento em que a mutuca chegou.

– Que vens fazer aqui, miserável bichinho? Some-te, retira-te da presença do rei dos animais.

A mutuca riu-se.

– Rei? Não és rei para mim. Não conheço tua força, nem tenho medo de ti.

– Vai-te, excremento da terra!

– Vou mas é tirar-te a prosa – disse a mutuca.

E atacou-o. Atacou-o a ferroadas com tamanha insistência que o leão desesperou. Inutilmente espojava-se, e sovava-se a si próprio com a cauda ou tabefes das patas possantes. A mutuca fugia sempre e, ora no focinho, ora na orelha, ora no lombo, fincava-lhe sem dó o agudo ferrão.

Farta por fim de torturar o orgulhoso rei, a mutuca bazofiou:

– Conheceste a minha força? Viste como de nada vale para mim o teu prestígio de rei? Adeus. Fica-te aí a arder que eu vou contar a toda a bicharia a história do leão sovado pela mutuca.

E foi-se.

Logo adiante, porém, esbarrou numa teia, enredou-se e morreu no ferrão da aranha.

São mais de temer os pequenos inimigos do que os grandes.

– Grande verdade! – exclamou o menino. – Um tigre é menos perigoso que certos micróbios, e aqui na roça eu só tenho medo de uma coisa: vespa!

A FOME NÃO TEM OUVIDOS

Caíra um triste sabiá nas unhas de esfaimadíssimo bichano. E gemendo de dor implorava:

– Felino de bote pronto e afiadas unhas, poupa-me! Repara que se me devoras cometes um crime de lesa-arte, pois darás cabo da garganta maravilhosa donde brotam as mais lindas canções da seiva. Queres ouvir uma delas?

– Tenho fome! – respondeu o gato.

– Queres ouvir uma canção que já enlevou as próprias pedras, que são surdas, e fez exclamar à bruta onça: "Este sabiá é a obra-prima da natureza!"?

– Tenho fome! – repetiu o gato.

– Tens fome, bem vejo, mas isso não é razão para que destruas a maravilha da floresta, matando o tenor cujos trinos criam o êxtase na alma dos mais rudes bichos. Queres ouvir o gorjeio em lá menor da minha última sinfonia?

– Tenho fome! – insistiu o gato. – Sei que tudo é assim como dizes, mas tenho fome e acabou-se. Para satisfazê-la eu devoraria a própria música, se ela me aparecesse encarnada em petisco. E isso, meu caro sabiá, porque a fome não tem ouvidos...

E comeu-o.

– Acho muito "literária" esta fábula, vovó! – disse Narizinho. – Não há sabiá que fale em "felino de bote pronto", nem em "crime de lesa-arte", coisas que nem sei o que são. Ponha isso em literatura sem aspas.

Dona Benta explicou que "felino" é um adjetivo relacionado a gatos, onças, tigres, panteras, e todo os mais "felídeos".

– E que é felídeo?

– É a família dos mamíferos carniceiros que os sábios chamam *felis*. Há o *felis catus*, que é o gato. Há o *felis pardus*, que é o leopardo. Há o *felis onça*, que é a onça... São os felinos.

– E crime de lesa-arte?

– É um crime que lesa ou prejudica a arte. Lesar significa "prejudicar".

– E por que a senhora botou essas "literaturas" na fábula?

– Para que vocês me interpelassem e eu explicasse, e todos ficassem sabendo mais umas coisinhas...

– E a fome não tem ouvidos mesmo?

– Não tem, minha filha. Quando a fome aperta, o animal faminto come o que encontra. Há casos até de pais que têm comido os filhos, por ocasião das grandes fomes da humanidade...

O OLHO DO DONO

Um veadinho, fugindo aos caçadores, escondeu-se num estábulo. E pediu às vacas que o não denunciassem, prometendo-lhes em troca do asilo mil coisas. As vacas mugiram que sim e o fugitivo agachou-se num cantinho.

Vieram à tarde os tratadores, com os feixes de capim e a cana picada. Encheram as manjedouras e saíram.

Veio também, fiscalizar o serviço, o administrador da fazenda. Correu os olhos por tudo e foi-se.

O veadinho respirou.

– Vejo que este lugar é seguro – disse ele. – Os homens entram e saem sem perceber coisa nenhuma.

Uma vaca, porém, o avisou:

– O perigo, meu caro, é que apareça por aqui o bicho de Cem-Olhos...

– Quê? – exclamou o veado. – Há disso?

– Há sim. Chama-se Dono. É um que quando aparece tudo vê, tudo descobre, desde o menor carrapato do nosso lombo até o sal que o tratador nos furta. Se ele vem, amigo, tu estás perdido!

Não demorou muito, surge Cem-Olhos. Vê aranhas no teto e interpela os homens da lida:

– Por que não tiram isso?

Vê um cocho rachado:

– Consertem este cocho.

Vê o chão mal limpo:

– Vassoura, aqui!

E está claro que também viu as pontas do chifre do veadinho.

– Que história é esta? Chifre de veado entre vacas?...

Aproximou-se e descobriu o mísero.

– Uma espingarda! – gritou.

E era uma vez um veadinho.

O olho do dono engorda o cavalo.

– Malvado! – exclamou Narizinho vermelha de cólera. – O veadinho que o bruto matou com certeza era o filhote de Bambi...

Emília também se indignou.

– Ah, eu queria estar lá para dar um tiro de canhão na orelha desse homem! Matar o filhotinho de Bambi só porque ele se abrigou naquela porcaria de estábulo lá dele! Mas eu sei por que o bruto o matou...

– Por que foi, Emília? – quis saber Dona Benta.

– Pela mesma razão que o urubu matou o sabiá: de inveja. Inveja da lindezinha do filho de Bambi. Devia ser um sujeito horrendamente feio, com cara de coruja seca, três verrugas no nariz, orelhas de camelo do deserto, capenga, boca torta, pé espalhado, beiço rachado no meio, analfabeto, jacarepaguá. Feio assim, não aguentou ver lá na fazenda dele aquela belezinha de veado, um bambizinho de pelo macio, olhos de criança inocente, pernas que eram quatro mimos, focinho cor-de-rosa Bela Helena... Inveja, inveja só. Eu só queria que...

– Pare, Emília! – disse Dona Benta. – A fábula não é para mostrar a feiura de um e a boniteza de outro – e só para frisar que quem é dono vê tudo, não deixa escapar coisa nenhuma.

Mas de nada adiantou a advertência. Todos estavam indignados com o tal dono. E Emília teve uma ideia. Berrou:

– Lincha! Lincha esta fábula indecente!

Os outros acompanharam-na:

– Lincha! Lincha!...

E os três lincharam a fábula, único meio de dar cabo do matador do filhote de Bambi que estava dentro dela.

UNHA-DE-FOME

Depois de uma vida de misérias e privações Unha-de-Fome conseguiu amontoar um tesouro, que enterrou longe de casa, num lugar ermo, colocando uma grande pedra em cima. Mas tal era o seu amor pelo dinheiro, que volta e meia rondava a pedra, e namorava-a como o jacaré namora os seus próprios ovos ocultos na areia. Isto atraiu a atenção de um vizinho, que o espionou e por fim lhe roubou o tesouro.

Quando Unha-de-Fome deu pelo saque, rolou por terra desesperado, arrepelando os cabelos.

– Meu tesouro! Minha alma! Roubaram minha alma!

Um viajante que passava foi atraído pelos berros.

– Que é isso, homem?

– Meu tesouro! Roubaram meu tesouro!

– Mas morando lá longe você o guardava aqui, então? Que tolice! Se o conservasse em casa não seria mais cômodo para gastar dele quando fosse preciso?

– Gastar do meu tesouro!? Então você supõe que eu teria a coragem de gastar uma moedinha só, das menores que fosse?

– Pois se era assim, o tesouro não tinha para você a menor utilidade, e tanto faz que esteja com quem o roubou como enterrado aqui. Vamos! Ponha no buraco vazio uma pedra, que dá no mesmo. Que utilidade tem o dinheiro para quem só o guarda e não gasta?

– Muito certo – disse Dona Benta –, mas os usurários como esse Unha-de-Fome não raciocinam como as criaturas normais. O dinheiro para eles não é para ser trocado pelas coisas que tornam agradável a vida – é para ser acumulado. O maior prazer desses homens consiste em saber que possuem tesouros.

– Pois acho que eles estão certos – disse Emília. – O que é de gosto regala vida, como diz Tia Nastácia. Se o meu gosto é namorar o dinheiro em vez de gastá-lo, ninguém tem nada a ver com isso.

– Mas o dinheiro é uma utilidade pública, Emília, e ninguém tem o direito de retirá-lo de circulação. Quem faz isso prejudica os outros.

– Sebo para a circulação! – gritou Emília, que também era avarenta. Aquele célebre tostão novo que ela ganhou estava guardadíssimo. Sabem onde? No pomar, enterrado junto à raiz da pitangueira...

O LOBO VELHO

Adoecera o lobo e, como não pudesse caçar, curtia na cama de palha a maior fome de sua vida. Foi quando lhe apareceu a raposa.

– Bem-vinda seja, comadre! É o céu que a manda aqui. Estou morrendo de fome e se alguém não me socorre, adeus lobo!...

– Pois espere aí que já arranjo uma rica petisqueira – respondeu a raposa com uma ideia na cabeça.

Saiu e foi para a montanha onde costumavam pastar as ovelhas. Encontrou logo uma, desgarrada.

– Viva, anjinho! Que faz por aqui, tão inquieta? Está a tremer...

– É que me perdi e tremo de medo do lobo.

– Medo do lobo? Que bobagem! Pois ignora que o lobo já fez as pazes com o rebanho?

– Que me diz?

– A verdade, filha. Venho da casa dele, onde conversamos muito tempo. O pobre lobo está na agonia e arrependido da guerra que moveu às ovelhas. Pediu-me que dissesse isto a vocês e as levasse lá, todas, a fim de selarem um pacto de reconciliação.

A ingênua ovelhinha pulou de alegria. Que sossego dali por diante, para ela e as demais companheiras! Que bom viver assim, sem o terror do lobo no coração!

Enternecida disse:

– Pois vou eu mesma selar o acordo.

Partiram. A raposa, à frente, conduziu-a à toca da fera. Entraram. Ao dar com o lobo estirado no catre, a ovelhinha por um triz que não desmaiou de medo.

– Vamos – disse a raposa –, beije a pata do magnânimo senhor! Abrace-o, menina!

A inocente, vencendo o medo, dirigiu-se para o lobo e abraçou-o. E foi-se a ovelha!...

Muito padecem os bons que julgam os outros por si.

– Bem feito! – berrou Emília. – Uma burrinha dessas o melhor que podia fazer era o que fez: entrar na boca do lobo. E, além disso, ovelha eu nem considero como bicho...

– Que é, então? – perguntou Narizinho admirada.

– É um novelo de lã por fora e costeletas por dentro. Ovelha é muito mais comida do que bicho. Não se defende, não arranha, não morde – é só *bé, bé, bé*... Bem feito! Eu gosto das feras. São batatais. Urram, e é cada unhaço que arranca lanhos de carne do inimigo.

– Mas o ato da raposa você não pode aprovar porque foi traição – disse a menina.

– Isso é verdade. Para uma raposa dessas, só tiro na orelha. Vou fazer uma fábula em que a raposa, em vez de sair ganhando, perde. Uma fábula assim...

E começou a inventar a fábula da "raposa que levou na cabeça".

O RATO E A RÃ

Estava um ratinho sem experiência da vida tomando fresco à beira da lagoa, quando surgiu à tona uma rã velhaca.

– Bom dia, Rói-Rói! Que faz aí, tão pensativo?

– Estou admirando a beleza destas águas e invejando a felicidade dos que podem viver nela.

– Tem razão de invejar-nos, ratinho. É lindo isto aqui dentro, mas não é para bico de rato. Ah, se você conhecesse a margem oposta!... Que beleza! Algas que boiam, libelinhas que esvoaçam. Quer ir até lá?

– Querer, quero. Mas como, se nado tão mal?

– Isso é o de menos. Posso atar você à minha pata, e levá-lo de reboque.

O ratinho aceitou. A rã trouxe uma embira, amarrou pata com pata e pôs-se a nado rebocando o ingênuo. Ao chegar em lugar fundo, a rã, que o que queria era afogar o ratinho, mergulhou, procurando arrastá-lo consigo. Mas o ratinho em apuros pôs a boca no mundo, pererecou, gritou por socorro e resistiu aos empuxões da rã com quantas forças tinha. Nisso, um gavião que ia passando ouviu o barulho, desceu qual uma flecha e agarrou o mísero. Ao tirá-lo d'água, porém, viu a rã encambada nele e exclamou radiante:

– Ora viva, que estou de sorte! Atirei no que vi e matei o que não vi. Meu jantar vai ser de carne e peixe.

E foi para o alto de uma árvore engolir os petiscos – castigando, sem o saber, a traição da rã e a imprudência do ratinho.

– Esta fábula, vovó, não me parece fábula – parece historinha que não tem moralidade. "Passo."

– Eu também "passo" – disse Pedrinho.

– Eu, idem! – berrou Emília.

E Dona Benta teve de contar a seguinte, que era a do lobo e do cordeiro – um suco!

O LOBO E O CORDEIRO

Estava o cordeiro a beber num córrego, quando apareceu um lobo esfaimado, de horrendo aspecto.

– Que desaforo é esse de turvar a água que venho beber? – disse o monstro arreganhando os dentes. Espere, que vou castigar tamanha má-criação!...

O cordeirinho, trêmulo de medo, respondeu com inocência:

– Como posso turvar a água que o senhor vai beber se ela corre do senhor para mim?

Era verdade aquilo e o lobo atrapalhou-se com a resposta. Mas não deu o rabo a torcer.

– Além disso – inventou ele –, sei que você andou falando mal de mim o ano passado.

– Como poderia falar mal do senhor o ano passado, se nasci este ano?

Novamente confundido pela voz da inocência, o lobo insistiu:

– Se não foi você, foi seu irmão mais velho, o que dá no mesmo.

– Como poderia ser meu irmão mais velho, se sou filho único?

O lobo, furioso, vendo que com razão claras não vencia o pobrezinho, veio com uma razão de lobo faminto:

– Pois se não foi seu irmão, foi seu pai ou seu avô!

E – *nhoque* – sangrou-o no pescoço.

Contra a força não há argumentos.

– Estamos diante da fábula mais famosa de todas – declarou Dona Benta. – Revela a essência do mundo. O forte sempre tem razão. Contra a força não há argumentos.

– Mas há a esperteza! – berrou Emília. – Eu não sou forte, mas ninguém me vence. Por quê? Porque aplico a esperteza. Se eu fosse esse cordeirinho, em vez de estar bobamente a discutir com o lobo, dizia: "Senhor Lobo, é verdade, sim, que sujei a água deste riozinho, mas foi para envenenar três perus recheados que estão bebendo ali embaixo". E o lobo, já com água na boca: "Onde?". E eu, piscando o olho: "Lá atrás daquela moita!". E o lobo ia ver e eu sumia...

– Acredito – murmurou Dona Benta. – E depois fazia de conta que estava com uma espingarda e *pum!* na orelha dele, não é? Pois fique sabendo que estragaria a mais bela e profunda das fábulas. La Fontaine a escreveu de um modo incomparável. Quem quiser saber o que é obra-prima, leia e analise a sua fábula do lobo e do cordeiro...

O CAVALO E O BURRO

Cavalo e burro seguiam juntos para a cidade. O cavalo, contente da vida, folgando com uma carga de quatro arrobas apenas, e o burro – coitado! – gemendo sob o peso de oito. Em certo ponto o burro parou e disse:

– Não posso mais! Esta carga excede às minhas forças e o remédio é repartirmos o peso irmãmente, seis arrobas para cada um.

O cavalo deu um pinote e relinchou uma gargalhada.

– Ingênuo! Quer então que eu arque com seis arrobas quando posso bem continuar com as quatro? Tenho cara de tolo?

O burro gemeu:

– Egoísta! Lembre-se que, se eu morrer, você terá de seguir com a carga das quatro arrobas mais a minha.

O cavalo pilheriou de novo e a coisa ficou por isso. Logo adiante, porém, o burro tropica, vem ao chão e rebenta. Chegam os tropeiros, maldizem da sorte e sem demora arrumam com as oito arrobas do burro sobre as quatro do cavalo egoísta. E como o cavalo refuga, dão--lhe de chicote em cima, sem dó nem piedade.

– Bem feito! – exclamou um papagaio. – Quem o mandou ser mais burro que o pobre burro e não compreender que o verdadeiro egoísmo era aliviá-lo da carga em excesso? Tome! Gema dobrado agora...

– Isto aqui – disse Dona Benta – vale como lição do que é a falta de solidariedade.

– Oh, que comprimento de palavra! – exclamou Narizinho. – Que é solidariedade, vovó?

– É o egoísmo bem compreendido, minha filha. É o reconhecimento de que temos de nos ajudar uns aos outros para que Deus nos ajude. Quem só cuida de si de repente se vê sozinho e não encontra quem o socorra. Aprendam.

– A coisa é bonita – comentou a menina –, mas a palavra é feia e comprida demais. So-li-da-ri-e-da-de...

O INTRUJÃO

Um célebre patarata propalou pela cidade que era possível ensinar a ler aos burros. O rei soube do fato e o fez vir à sua presença.

– É verdade o que dizem aí?

– Que é possível ensinar a ler a um burro? Perfeitamente, majestade. Comprometo-me a, em dez anos, transformar o mais burro dos burros num perfeito gramático.

– E que é preciso para isso?

– Em primeiro lugar, um burro. Em segundo lugar, outro burro... perdão!, uma pessoa que me garanta casa e comida pelo espaço de dez anos.

– Pois dou-te o burro e o mais – disse o rei. – Se, porém, ao fim desse prazo não me apresentares o burro lendo e escrevendo corretamente, ai de ti!...

O charlatão saiu do palácio esfregando as mãos de contente. E como seus amigos, assustados, viessem criticar-lhe o absurdo daquele negócio e o fim desastroso que ele, charlatão, fatalmente teria, o nosso homem piscou velhacamente o olho dizendo:

– Que ingênuos são vocês! Em dez anos, o rei, eu ou o burro, um de nós três não existe mais. E assim, de qualquer maneira sairei ganhando. É ou não é?

Todos concordaram que era...

– Gostei! – berrou Emília. – Esse é dos meus. Fez um bom negócio e provou que o verdadeiro burro era sua majestade.

– Mas se se passassem os dez anos e nenhum dos três morresse? – perguntou Pedrinho.

– Ah, ele não se apertava! Quando faltasse um dia para inteirar os dez anos, dava um veneno ao burro e pronto! Ficava um burro só na história: sua majestade Burríssimo!...

O HOMEM E A COBRA

Certo homem de bom coração encontrou na estrada uma cobra entanguida de frio.

– Coitadinha! Se fica por aqui ao relento, morre gelada.

Tomou-a nas mãos, conchegou-a ao peito e trouxe-a para casa. Lá a pôs perto do fogão.

– Fica-te por aqui em paz até que eu volte do serviço à noite. Dar-te-ei então um ratinho para a ceia. – E saiu.

De noite, ao regressar, veio pelo caminho imaginando as festas que lhe faria a cobra.

– Coitadinha! Vai agradecer-me tanto...

Agradecer, nada! A cobra, já desentorpecida, recebeu-o de linguinha de fora e bote armado, em atitude tão ameaçadora que o homem enfurecido exclamou:

– Ah, é assim? É assim que pagas o benefício que te fiz? Pois espera, minha ingrata, que já te curo...

E deu cabo dela com uma paulada.

Fazei o bem, mas olhai a quem...

– A senhora arranjou uma moralidade ao contrário da sabedoria popular, que diz: "Fazei o bem e não olheis a quem".

– Sim, minha filha. Esse fazer o bem sem olhar a quem é lindo – mas nunca dá muito certo. Aquele grande filósofo-educador da China...

– Confúcio, já sei!... – gritou Pedrinho.

– Ele mesmo – confirmou Dona Benta. – Pois Confúcio, que foi o maior filósofo prático da humanidade, disse uma coisa muito certa: "Tratai os bons com bondade e os maus com justiça".

Emília bateu palmas.

– Pois então Confúcio concorda comigo. Meu ditado é: "Para os maus, pau!". Justiça é pau.

O GATO E A RAPOSA

Gato e raposa andavam a correr mundo, pilhando capoeiras e ninhos. Muito amigos, e volta e meia a raposa dava trela à gabolice.

– Afinal de contas, meu caro, não és dos bichos mais bem dotados pela natureza. Só tens um truque para escapar aos cães: trepar em árvore...

– E é quanto me basta – respondeu o gato. – Vivo muito bem assim e não troco esta minha habilidade pela tua coleção inteira de manhas.

A raposa sorriu. Ora, o gato a desfazer dela, dona de cem manhas cada qual melhor! E recordou lá consigo que sabia iludir cães de mil maneiras, ora fingindo-se morta, ora escondendo-se nas

folhas secas, ora disfarçando as pegadas, ora correndo em zigue-zague. Recordou todos os seus truques clássicos. Enumerou-os. Chegou a contar noventa. E chegaria a contar cem se o rumor de uma acuação não viesse interromper-lhe os cálculos.

– Está aí a cachorrada! – disse o gato, subindo por uma árvore acima. – Aplica lá os teus inumeráveis recursos, que o meu recurso único já está aplicado.

A raposa, perseguida de perto, disparou como um foguete pelos campos, pondo em prática, um por um, todos os recursos de sua coleção.

Foi tudo inútil. Os cães eram mestres; não lhe deram tréguas, inutilizaram-lhe as mais engenhosas manhas e acabaram pegando-a.

Só então se convenceu – muito tarde!... – de que é preferível saber bem uma coisa só do que saber mal-e-mal noventa coisas diversas.

– Eu, se fosse a senhora, vovó, trocava esta fábula por aquela outra – a tal do Pulo do Gato. O gato ensinou à onça todos os pulos menos um – o pulo de lado. E quando acabou a lição, a onça *zás!* – pulou em cima do gato para comê-lo. Mas o gato fugiu com o corpo – deu um pulo de lado. Muito desapontada, a onça disse: "Mas esse pulo você não ensinou". E o gato, de longe: "E não ensino, porque esse é o pulo do gato".

A MALÍCIA DA RAPOSA

O leão convidou a bicharia inteira para uma festa em seu palácio. O primeiro a aparecer foi o urso. Vendo a caverna cheia de ossos de caça, tresandante a carniça, tapou o nariz.

O leão furioso atirou-se a ele.

– Patife! Entrar em meu palácio de mão no nariz!...

E matou-o.

Logo em seguida aparece o macaco. Sente o mau cheiro, vê o urso por terra, compreende tudo e diz:

– Que formoso palácio! Quanto asseio reina aqui! E como é perfumado o ar! Parece-me que estou num jardim maravilhoso, florido de lindas rosas!...

O leão enfureceu-se de novo.

– Estás caçoando, maroto? Estás brincando com o teu rei? Pois toma lá... – E matou-o com um tabefe.

O terceiro convidado a vir foi a raposa. Como é espertíssima, ao ver o urso e o macaco mortos percebeu que na casa dos reis não é de bom aviso ser sincero demais, nem lisonjeiro fora de conta. E preparou uma escapatória.

– Então – exclamou o rei – que achas do meu palácio?

– Para falar a verdade – disse a raposa –, não posso dar opinião. Venho da luz do sol e pouco estou enxergando aqui dentro...

– E o cheiro?

– Também não posso ajuizar porque estou sem nariz – endefluxadíssima...

E nada lhe aconteceu.

– Gostei, gostei! – exclamou a menina. – Está aqui uma das fábulas mais jeitosas. Desta vez a raposa merece um doce. Venceu a força do leão com a esperteza de uma raposa muito certa. Eu também perco o nariz quando apanho um resfriado.

AS RAZÕES DO PORCO

Lá ia para o mercado a carroça de um sitiante. Dentro, três animais: uma cabra, um carneiro e um leitão. Cabra e carneiro seguiam em silêncio, muito sossegados da vida. Já o porquinho espiava pelas frestas, cheio de apreensões. E quando avistou o mercado não se conteve: abriu a boca e berrou como se estivessem a sangrá-lo no coração.

– Para que isso? – disse a cabra. – Também eu vou para a feira e no entanto a ninguém incomodo com esse berreiro descompassado.

– Também assim penso – ajuntou o carneiro. – Vamos ser vendidos, quer dizer, vamos mudar de dono. É tolice lamuriar dessa maneira por coisa tão sem importância.

O porquinho berrou ainda mais, e por fim explicou-se:

– É verdade, vamos ser vendidos os três. Mas tu, cabra, teu destino é dar leite; e tu, carneiro, tua função é produzir lã. Compreendo que seja indiferente para ambos que dês leite ou lã a este ou àquele. Mas eu – eu só presto para ser comido, e ir para o mercado não me é apenas mudar de dono mas mudar de mundo. Vou para o açougue – *coim coim!* Como então quereis que me conforme com a sorte e vá nesse sossego de cabra e nessa indiferença de carneiro? Tivésseis o meu destino e havíeis de berrar ainda mais forte...

E continuou a botar a boca no mundo.

– Quem o manda ser carne? – comentou Emília. – Cabra é leite. Carneiro é lã.

– Cabra e carneiro também são carne – disse Narizinho.

– Em segundo lugar! Em primeiro lugar são leite e lã; só depois é que são carne. Mas o pobre porco é só carne, carne e mais carne. É lombo, é linguiça, é presunto, é chouriço, é pernil, é costeleta, é entrecosto, é tripa. O porco é carníssimo. Quando sai do chiqueiro, já sabe que não é para dar leite, como a cabra, nem dar lã, como o carneiro. E por isso berra e faz muito bem. Eu berrava o dobro...

SEGREDO DE MULHER

Como Fidência se gabasse de discreta, seu marido resolveu tirar a prova. E para isso uma noite acordou-a com ar de assustado, dizendo:

– Que estranho fenômeno, Fidência. Pois não é que acabo de botar um ovo?

– Um ovo? – exclamou a mulher, arregalando os olhos.

– Pois é para ver. E cá está ele, ainda quentinho. Mas escute; é preciso que isto fique em segredo absoluto entre nós. Você bem sabe como é o mundo. Se a notícia corre, começam todos a troçar de mim e acabam me pondo apelido. Segure, pois, a língua. Nunca diga nada a ninguém.

A mulher jurou segredo e soube guardá-lo por umas horas, enquanto era noite e não tinha com quem taramelar. Mas logo que amanheceu pulou da cama e foi correndo em procura da comadre Teresa.

– Você é capaz, Teresa, de guardar um segredo eterno?

– Toda a gente sabe que minha boca é um túmulo...

– Pois então ouça: meu marido esta noite botou dois ovos!...

– Não diga!...

– Pois é isso. Mas, olhe!... Isto é segredo inviolável. Jure que jamais o contará a ninguém.

A comadre Teresa beijou dois dedos em cruz; mas, logo que a Fidência se foi, sentiu na língua uma tal comichão que contou a história dos três ovos à tia Felizarda.

Tia Felizarda também jurou segredo, mas contou a história dos quatro ovos à prima Joaquina.

Prima Joaquina também jurou segredo, mas contou a história dos cinco ovos à sua amiga Inês...

Inês...

E o caso foi que ao meio-dia a cidade inteira só comentava uma coisa – o estranho fenômeno do Zé Galinha, misterioso homem que punha cada noite doze dúzias de ovos...

– Isso de contar um conto e aumentar um ponto é ali com a senhora Emília – observou a menina.

– Um ponto só? Ah, ah! A Emília vai logo aumentando dez... – caçoou Pedrinho.

O Visconde explicou que há para isso uma razão psi-co-ló-gi-ca.

– É para melhor acentuar o fato – disse ele. – Contar uma coisa é passar essa coisa de uma cabeça para outra. E como nessas passagens há sempre perda (como na corrente elétrica que vai de um ponto a outro), o contador exagera. Exagera sem querer, por instinto.

– Eu não exagero – disse Emília. – Apenas enfeito.

– Pois então exagera, porque enfeitar é exagerar – explicou Visconde. E voltando-se para Emília: – Pode botar a língua...

O AUTOMÓVEL E A MOSCA

Um automóvel havia encalhado em certo ponto de mau caminho, num atoleiro.

– E agora?

– Agora é procurar bois na vizinhança e arrancá-lo à força viva.

Assim se fez. Arranjam os bois – uma junta.

Atrelam-na ao carro e principia a luta.

– Vamos, Malhado! Puxa, Cutelo!

Os bois estiram os músculos num potente esforço, espicaçados pelo aguilhão.

Mas não basta. É preciso que todos, serviçais e passageiros, metam ombros à tarefa e, empurrando de cá, alçapremando de lá, ajudem o arranco dos bovinos. A mosca aparece. Assunta o caso e resolve meter o bedelho onde não é chamada. E toda aflita começa – voa daqui, pousa ali, zumbe à orelha de um, pica no focinho de outro, atormenta os bois, atrapalha os homens – a multiplicar-se de tal maneira que dá a impressão de ser não uma só, mas um enxame inteiro de moscas infernais.

O carro, afinal, saiu do atoleiro.

– *Uf!* Que trabalhão me deu!... – disse a mosquinha enxugando o suor da testa.

– A Joana Baracho é assim – comentou Narizinho. – Lá na casa dela as irmãs fazem tudo, mas quem finge que sua é ela. Certas fábulas são retratos de pessoas.

– E isso é instintivo – tornou Dona Benta. – Lembra-se, Pedrinho, daquele jogo de futebol lá na vila? Os assistentes "torciam", e quando a bola entrava no gol não havia um que não atribuísse o ponto à sua torcida pessoal.

A ONÇA DOENTE

A onça caiu da árvore e por muitos dias esteve de cama seriamente enferma. E como não pudesse caçar, padecia fome das negras.

Em tais apuros imaginou um plano.

– Comadre irara – disse ela –, corra o mundo e diga à bicharada que estou à morte e exijo que venham visitar-me.

A irara partiu, deu o recado e os animais, um a um, principiaram a visitar a onça.

Vem o veado, vem a capivara, vem a cotia, vem o porco-do-mato.

Veio também o jabuti.

Mas o finório jabuti, antes de penetrar na toca, teve a lembrança de olhar para o chão. Viu na poeira só rastos entrantes, não viu nenhum rasto sainte. E desconfiou:

– Hum!... Parece que nesta casa quem entra não sai. O melhor, em vez de visitar a nossa querida onça doente, é ir rezar por ela...

E foi o único que se salvou.

– Todas as histórias fazem do jabuti uma ideia muito boa – comentou Emília. – Espertos, inteligentes, mil coisas. Mas o nosso lá do pomar mostrou-se bem bobinho.

– Ao contrário, Emília. Tanto não era bobo que já sumiu.

– Por isso mesmo. Se tivesse ficado aqui, estava no seguro. Nada nunca lhe aconteceria. Mas fugiu e se foi para os lados do Elias Turco, aposto que dele só resta a casca. O Elias tem cara de gostar muito de jabuti ensopado...

O JABUTI E A PEÚVA

Brigaram certa vez o jabuti e a peúva.

– Deixa estar! – disse esta furiosa. – Deixa estar que te curo, seu malandro! Prego-te uma peça das boas, verás...

E ficou de sobreaviso, com os olhos no astucioso bichinho que lá se ria dela sacudindo os ombros.

O tempo foi correndo; o jabuti esqueceu-se do caso; e um belo dia, distraidamente, passou ao alcance da peúva.

A árvore incontinente torceu-se, estalou e caiu em cima dele.

– Toma! Quero ver agora como te arrumas. Estás entalado e, como sabes, sou pau que dura cem anos...

O jabuti não se deu por vencido. Encorujou-se dentro da casca, cerrou os olhos como para dormir e disse filosoficamente:

– Pois como eu durmo mais de cem, esperarei que apodreças...

A paciência dá conta dos maiores obstáculos.

– Esta fábula está com cara de ser sua, vovó – disse Pedrinho. – Eu conheço o seu estilo.

– E é, meu filho. Inventei-a neste momento, e sabe por quê? Porque me lembrei daquela peúva caída lá no pasto e de um jabuti que estava escondido debaixo dela. Sei quanto dura a madeira da peúva e sei quanto vive um jabuti – e a fábula formou-se em minha cabeça. E todas as fábulas foram vindo assim. Uma associação de ideias sugere as historinhas.

– Associação de ideias é isso?

– Sim. A gente pensa numa coisa. Esse pensamento puxa outro. Esse outro puxa terceiro. É o que os sábios chamam associação de ideias.

A RAPOSA E AS UVAS

Certa raposa esfaimada encontrou uma parreira carregadinha de lindos cachos maduros, coisa de fazer vir água à boca. Mas tão altos que nem pulando.

O matreiro bicho torceu o focinho.

– Estão verdes – murmurou. – Uvas verdes, só para cachorro.

E foi-se.

Nisto deu o vento e uma folha caiu.

A raposa, ouvindo o barulhinho, voltou depressa e pôs-se a farejar...

Quem desdenha quer comprar.

– Que coisa certa, vovó! – exclamou a menina. – Outro dia eu vi esta fábula em carne e osso. A filha do Elias Turco estava sentada à porta da venda. Eu passei no meu vestidinho novo de pintas cor-de--rosa e ela fez um muxoxo. "Não gosto de chita cor-de-rosa." Uma semana depois lá a encontrei toda importante num vestido cor-de-rosa igualzinho ao meu, namorando o filho do Quindó...

O GATO VAIDOSO

Moravam na mesma casa dois gatos iguaizinhos no pelo mas desiguais na sorte. Um, amimado pela dona, dormia em almofadões. Outro, no borralho. Um passava a leite e comia em colo. O outro por feliz se dava com as espinhas de peixe do lixo.

Certa vez, cruzaram-se no telhado e o bichano de luxo arrepiou-se todo, dizendo:

    – Passa ao largo, vagabundo! Não vês que és pobre e eu sou rico? Que és gato de cozinha e eu sou gato de salão? Respeita-me, pois, e passa ao largo...

    – Alto lá, senhor orgulhoso! Lembra-te de que somos irmãos, criados no mesmo ninho.

    – Sou nobre. Sou mais que tu!

    – Em quê? Não mias como eu?

    – Mio.

    – Não tens rabo como eu?

    – Tenho.

    – Não caças ratos como eu?

    – Caço.

– Não comes rato como eu?

– Como.

– Logo, não passas de um simples gato igual a mim. Abaixa, pois, a crista desse orgulho e lembra-te que mais nobreza do que eu não tens – o que tens é apenas um bocado mais de sorte...

Quantos homens não transformam em nobreza o que não passa de um bocado mais de sorte na vida!

– Acho que todos os homens importantes são assim – disse Pedrinho. – O que eles têm é sorte. Os tais nobres! "Passo." Os tais duques, os tais reis, os tais príncipes.

– Mas há uma nobreza – disse Dona Benta – que não depende da sorte e sim do esforço. Essa é respeitável. Madame Curie ficou importante por ter descoberto o rádio. Foi sorte? Não. Levou anos estudando, fazendo experiências, e tanto lidou que descobriu a maravilhosa substância. Criaturas assim podem orgulhar-se de ser mais que os outros.

– Mas não se orgulham, vovó! – disse Narizinho. – Já notei que as pessoas verdadeiramente importantes são modestas – como o Conselheiro ou o Visconde. Mas há umas tais pulguinhas humanas que só por terem caído em graça se julgam engraçadíssimas...

Emília botou-lhe a língua. "Ahn!"

PAU DE DOIS BICOS

Um morcego estonteado pousou certa vez no ninho da coruja, e ali ficaria se a coruja ao regressar não investisse contra ele.

– Miserável bicho! Pois te atreves a entrar em minha casa, sabendo que odeio a família dos ratos?

– Achas então que sou rato? – respondeu o intruso. – Não tenho asas e não voo como tu? Rato, eu? É boa!...

A coruja não sabia discutir e, vencida de tais razões, poupou-lhe a pele.

Dias depois, o finório morcego planta-se no casebre do gato-do-
-mato. O gato entra, dá com ele e chia de cólera.

– Miserável bicho! Pois te atreves a entrar em minha toca, sabendo
que detesto as aves?

– E quem te disse que sou ave? – retruca o cínico. – Sou muito bom
bicho de pelo, como tu, não vês?

– Mas voas!...

– Voo de mentira, por fingimento...

– Mas tem asas!

– Asas? Que tolice! O que faz a asa são as penas e quem já viu penas
em morcego? Sou animal de pelo, dos legítimos, e inimigo das aves
como tu. Ave, eu? É boa...

O gato embasbacou, e o morcego conseguiu retirar-se dali são e
salvo.

*O segredo de certos homens está nesta política do morcego. É vermelho?
Tome vermelho. É branco? Viva o branco!*

– Sim, senhor! – exclamou Emília. – Nunca imaginei que os mor-
cegos fossem tão espertos. Esse vence até
as raposas. Enganou a coruja e
enganou o gato.

– Mas não enganou o
fabulista – disse Dona
Benta. – La Fontaine
ouviu a conversa e fez
a fábula, para pôr em
relevo a duplicidade dos
que não são uma coisa certa e
sim o que convém no momento.

– Emília, que é tão amiga da esperteza, devia casar-se com esse morcego
– lembrou Narizinho, mas Emília murmurou:
"Passo".

A GALINHA DOS OVOS DE OURO

João Impaciente descobriu no quintal uma galinha que punha ovos de ouro. Mas um por semana, apenas. Louco de alegria, disse à mulher:

– Estamos ricos! Esta galinha traz um tesouro no ovário. Mato-a e fico o mandão aqui das redondezas.

– Por que matá-la, se conservando-a você obtém um ovo de ouro de sete em sete dias?

– Não fosse eu João Impaciente! Quer que me satisfaça com um ovo por semana quando posso conseguir a ninhada inteira num momento?

E matou a galinha.

Dentro dela só havia tripas, como nas galinhas comuns, e João Impaciente, logrado, continuou a marcar passo a vida inteira, morrendo sem vintém.

Quem não sabe esperar, pobre há de acabar.

– Eu, se fosse o fabulista – disse Pedrinho –, mudava o título desta fábula. Punha "O palerma". Só mesmo um palerma como esse João Impaciente podia fazer uma coisa assim.

Dona Benta não concordou.

– Ah, meu filho, isso de esperar não é fácil. Quantas vezes você mesmo não perdeu uma coisa que muito desejava por excesso de impaciência, por não ter tido a sabedoria de esperar...

– Ainda ontem, vovó, ele quase pegou uma saíra das raras – ajuntou Narizinho. – Mas não esperou que ela entrasse bem, bem, bem na armadilha. Puxou o cordel antes do tempo. Pedrinho também é palerma às vezes, por falta de paciência. Eu sim, sei esperar.

– E por isso mesmo não pegou aquela pulga que estava em sua cama – disse Emília. – Ficou esperando que a pulga parasse de pular e a pulga afinal sumiu.

A especialidade de Emília era pegar pulgas.

A GARÇA VELHA

Certa garça nascera, crescera e sempre vivera à margem de uma lagoa de águas turvas, muito rica em peixe. Mas o tempo corria e ela envelhecia. Seus músculos cada vez mais emperrados, os olhos cansados – com que dificuldade ela pescava!

– Estou mal de sorte, e se não topo com um viveiro de peixes em águas bem límpidas, certamente que morrerei de fome. Já se foi o tempo feliz em que meus olhos penetrantes zombavam do turvo desta lagoa...

E de pé num pé só, o longo bico pendurado, pôs-se a matutar naquilo até que lhe ocorreu uma ideia.

– Caranguejo, venha cá! – disse ela a um caranguejo que tomava sol à porta do seu buraco.

– Às ordens. Que deseja?

– Avisar a você de uma coisa muito séria. A nossa lagoa está condenada. O dono das terras anda a convidar os vizinhos para assistirem ao seu esvaziamento e o ajudarem a apanhar a peixaria toda. Veja que desgraça! Não vai escapar nem um miserável guaru.

O caranguejo arrepiou-se com a má notícia. Entrou na água e foi contá-la aos peixes.

Grande rebuliço. Graúdos e pequeninos, todos começaram a pererecar às tontas, sem saberem como agir. E vieram para a beira d'água.

– Senhora dona do bico longo, dê-nos um conselho, por favor, que nos livre da grande calamidade.

– Um conselho?... – e a matreira fingiu refletir. Depois respondeu: – Só vejo um caminho. É mudarem-se todos para o poço da Pedra Branca.

– Mudar-se como, se não há ligação entre a lagoa e o poço?

– Isso é o de menos. Cá estou eu para resolver a dificuldade. Transporto a peixaria inteira no meu bico.

Não havendo outro remédio, aceitaram os peixes aquele alvitre – e a garça os mudou a todos para o tal poço, que era um tanque de pedra, pequenino, de águas sempre límpidas e onde ela sossegadamente poderia pescá-los até o fim da vida.

Ninguém acredite em conselho de inimigo.

– Eu não acredito nem em conselho de amigos, quanto mais de inimigos – disse Emília. – Não quero que me aconteça o que aconteceu com o Coronel Teodorico.

Ninguém entendeu. Emília explicou:

– Ele foi para o Rio de Janeiro depois da venda das terras e acabou sem vintém. Por quê? Porque acreditou nos conselhos dos amigos do seu dinheiro. Até bondes o burrão comprou! Eu, quando me dão algum conselho, fico pensando comigo mesma: "Onde é que está o gato?". Porque há sempre um gato escondido dentro de cada conselho.

Dona Benta arregalou os olhos. Como estava ficando sabida aquela diabinha.

– E em que você acredita, então? – perguntou Visconde.

Emília respondeu:

– No meu miolo. Não vou em onda nenhuma, nem de inimigo nem de amigo. Cá comigo é ali na batata do cálculo...

O LEÃO E O RATINHO

Ao sair do buraco viu-se um ratinho entre as patas de um leão. Estacou, de pelos em pé, paralisado pelo terror. O leão, porém, não lhe fez mal nenhum.

– Segue em paz, ratinho; não tenhas medo do teu rei.

Dias depois o leão caiu numa rede. Urrou desesperadamente, debateu-se, mas quanto mais se agitava, mais preso no laço ficava.

Atraído pelos urros, apareceu o ratinho.

– Amor com amor se paga – disse ele lá consigo e pôs-se a roer as cordas. Num instante conseguiu romper uma das malhas. E como a rede era das tais que rompida a primeira malha as outras se afrouxam, pôde o leão deslindar-se e fugir.

Mais vale paciência pequenina do que arrancos de leão.

– Isso é verdade – comentou Narizinho. – Não há o que a paciência não consiga. Lá na cachoeira há um buraco na pedra feito por um célebre pingo d'água que cai, cai, cai há séculos.

– E há um ditado popular para esse pingo – ajuntou Pedrinho –: Água mole em pedra dura tanto dá até que fura.

– Quem faz os ditados populares, vovó?

– O povo, minha filha. Os homens vão observando certas coisas e por fim formam um ditado, ou rifão, ou provérbio, ou adágio, ou dito, no qual resumem o que observaram. Esse dito do pingo d'água que tanto dá até que fura é muito bom – bonitinho e certo.

– Foi o meio de vencermos a Cuca naquela nossa aventura do Saci[8] – lembrou Pedrinho. – A Cuca não tinha medo de coisa nenhuma, porque era poderosa. Mas quando se viu imobilizada pelos cipós com que a amarramos e com aquele pingo d'água a lhe pingar na testa, cedeu. Entregou o pito, como diz Tia Nastácia.

O ORGULHOSO

Era um jequitibá enorme, o mais importante da floresta. Mas orgulhoso e gabola. Fazia pouco das árvores menores e ria-se com desprezo das plantinhas humildes. Vendo a seus pés uma tabua, disse:

– Que triste vida levas, tão pequenina, sempre à beira d'água, vivendo entre saracuras e rãs... Qualquer ventinho te dobra. Um tiziu que pouse em tua haste já te verga que nem bodoque. Que diferença entre nós! A minha copada chega às nuvens e as minhas folhas tapam o Sol. Quando ronca a tempestade, rio-me dos ventos e divirto-me cá do alto a ver os teus apuros.

– Muito obrigada! – respondeu a tabua ironicamente. – Mas fique sabendo que não me queixo e cá à beira d'água vou vivendo como posso. Se o vento me dobra, em compensação não me quebra e, cessado o temporal, ergo-me direitinha como antes. Você, entretanto...

8. Nota da editora: Essa vitória está na obra *O Saci*.

– Eu, quê?

– Você, jequitibá, tem resistido aos vendavais de até aqui; mas resistirá sempre? Não revirará um dia de pernas para o ar?

– Rio-me dos ventos como me rio de ti – murmurou com ar de desprezo a orgulhosa árvore.

Meses depois, na estação das chuvas, sobreveio certa noite uma tremenda tempestade. Raios coriscavam um atrás do outro e o ribombo dos trovões estremecia a terra. O vento infernal foi destruindo tudo quanto se opunha à sua passagem.

A tabua, apavorada, fechou os olhos e curvou-se rente ao chão. E ficou assim encolhidinha até que o furor dos elementos se acalmasse e uma fresca manhã de céu limpo sucedesse àquela noite de horrores. Ergueu, então, a haste flexível e pôde ver os estragos da tormenta. Inúmeras árvores por terra, despedaçadas, e entre as vítimas o jequitibá orgulhoso, com a raizana colossal à mostra...

Quanto maior a altura, maior o tombo...

– Que é tabua, vovó? – perguntou Pedrinho.

– Ora, meu filho! Então não sabe o que é tabua?

– Sei o que é tábua...

– Pois tabua é uma planta da família das tifáceas, muito comum aqui nos nossos brejos e de cujas folhas, compridas como espadas, a gente da roça faz esteiras.

– Ah, sei! É até uma planta muito importante – a mais importante de todas, porque a gente da roça só dorme na esteira. Mas eu não digo tabua, vovó, digo piri.

– Piri é planta parecida, meu filho, não é a mesma.

Emília achou que a moralidade da fábula estava certa, mas...

– Mas o quê, Emília?

– Mas entre ser tabua e ser jequitibá prefiro mil vezes ser jequitibá. Prefiro dez mil vezes!

– Por quê?

– Porque o jequitibá é lindo, é imponente, é majestoso, só cai com as grandes tempestades; e a tabua cai com qualquer foiçada dos que vão fazer esteiras. E depois que viram esteiras têm de passar as noites gemendo sob o peso dos que dormem em cima – gente feia e que não toma banho. Viva o jequitibá!

Dona Benta não teve o que dizer.

O EGOÍSMO DA ONÇA

Ao voltar da caça, com uma veadinha nos dentes, a onça encontrou sua toca vazia. Desesperada, esgoelou-se em urros de encher de espanto a floresta. Uma anta veio indagar do que havia.

– Mataram-me as filhas! – gemeu a onça. – Infames caçadores cometeram o maior dos crimes: mataram-me as filhas...

E de novo urrou desesperadamente, espojando-se na terra e arranhando-se com as unhas afiadas.

Diz a anta:

– Não vejo motivo para tamanho barulho... Fizeram-te uma vez o que fazes todos os dias. Não andas sempre a comer os filhos dos outros? Inda agora não mataste a filha da veada?

A onça arregalou os olhos, como que espantada da estupidez da anta.

– Ó grosseira criatura! Queres então comparar os filhos dos outros com os meus? E equiparar a minha dor à dor dos outros?

Um macaco, que do alto do seu galho assistia à cena, meteu o bedelho na conversa.

– Amiga onça, é sempre assim: *Pimenta na boca dos outros não arde...*

Na voz de "pimenta", Tia Nastácia veio lá da cozinha, com a colher de pau na mão.

– Pimenta, sinhá? É o que está me fazendo falta hoje. Acabou-se aquela do vidro de boca larga e não sei como me arranjo com o vatapá de amanhã...

Todos caçoaram da pobre preta.

– Não é isso, boba. Estamos "fabulando" a pimenta que não arde na boca dos outros.

A negra não entendeu.

– Não arde? Quem disse que não arde? Só não arde se não for das ardidas.

Dona Benta ficou com preguiça de explicar e deu-lhe ordem de fazer o vatapá sem pimenta.

– Ché! Fica sem graça, sinhá. Feijão sem sal, vatapá sem pimenta e café requentado é jantar estragado.

O IMITADOR DE ANIMAIS

Pedro Pereira Pedrosa tinha uma habilidade rara: imitava na perfeição a voz dos animais. O *coim-coim* do porco, o *au-au* do cachorro, o *bé* do carneiro, o relincho do burrico, tudo ele reproduzia de modo a enganar todo mundo.

– É tal e qual – diziam os ouvintes maravilhados.

Um dia apareceu na cidade um homem se propondo a derrotar o imitador.

– Vamos os dois imitar em público a voz de um porquinho; e se eu não ganhar a partida, cortem-me a cabeça!

Chega o dia. Enche-se o teatro. Pedro aparece confiante na vitória e imita leitão novo de modo a entusiasmar o público.

– O outro agora! O outro!... – berra a assistência.

Apareceu o outro, embrulhado num capotão. Preparou-se, reme-xeu-se e, de repente:

– *Coim! Coim! Coim!*

Vaia estrondosa.

– Fora! Fora! Pedro ganhou! Pedro imita melhor! Fora...

O sujeito abriu o capote e suspendeu pelas orelhas um leitãozinho que trazia oculto.

– Vaiai, senhores, vaiai o verdadeiro autor dos coinchos, pois foi este porquinho quem berrou e não eu...

Os espectadores entreolharam-se encafifadíssimos.
Mais vale cair em graça do que ser engraçado.

– Apoiadíssimo! – exclamou o Visconde. – Mais vale cair em graça
do que ser engraçado. Eu, por exemplo, tenho sido bem engraçadinho
em várias ocasiões – mas quem cai em graça é sempre outra pessoa...

O BURRO SÁBIO

No tempo em que os animais falavam, uma assembleia de bichos se reuniu para resolver certa questão.

Compareceu, sem ser convidado, o burro e, pedindo a palavra, pronunciou longo discurso, fingindo-se estadista. Mas só disse asneiras. Foi um zurrar sem conta.

Quando concluiu, ficou à espera dos aplausos; mas o elefante, espichando a tromba para o seu lado, disse:

– Grande pedaço de asno! Roubaste o tempo, a nós e a ti. A nós, porque o perdemos a ouvir asneiras; e a ti, porque muito mais lucrarias se o empregasses em pastar capim. Toma lá este conselho:

Um tolo nunca é mais tolo do que quando se mete a sábio!

– Está aí uma fábula inútil – disse Pedrinho. – Diz a mesma coisa que a do asno e do burro.

– Sim, meu filho. É uma variante. Serve para mostrar que uma mesma verdade pode ser expressa de modos diferentes.

– Continuo a achá-la inútil – insistiu Pedrinho. – Se veio para provar isso, perdeu o tempo, porque nada mais claro que todas as coisas podem ser ditas de muitas maneiras.

O Visconde contestou.

– Isso também não, Pedrinho. As verdades científicas só podem ser ditas de uma maneira. Quando eu pergunto "Quanto é um mais um?" a resposta só pode ser "Dois".

– E o "Onze" onde fica, Visconde? – berrou Emília. – Um mais um também dá onze.

O sabuguinho científico atrapalhou-se.

MAL MAIOR

– O Sol vai casar-se! – anunciou um bem-te-vi boateiro. – Viva o Sol!

– Viva? – exclamaram as rãs, assustadas. – Não diga isso, pelo amor de Deus... Um Sol apenas já nos dá o que fazer. Seca os brejos e nos deixa às vezes a ponto de morrermos de sede. E é um só... Imaginem agora que se casa e, além do senhor Sol, temos também de aturar Dona Sol e os sóis filhinhos... Será a maior das calamidades, porque então unicamente as pedras poderão resistir à fúria da família de fogo.

Assim é. O mundo está bem equilibrado e qualquer coisa que rompa a sua ordem resulta em males para os viventes.

Fique solteiro o Sol e não enviúve quem é casado.

– Não gostei! – berrou Emília. – Se nada mudar, o mundo fica sempre na mesma e não há progresso.

– Espere, Emília – disse Dona Benta. – O que a fábula quer dizer é que qualquer mudança nas coisas prejudica alguém.

– Pode prejudicar um e fazer bem a dois – insistiu Emília. – As coisas não são tão simples como as fábulas querem. *Est modus...* como é aquele latim que a senhora disse outro dia, Dona Benta?

– *Est modus in rebus...*

– Isso mesmo. Nos modos está o *rebus...*

– Não, Emília. Esse latim quer dizer que em tudo há medidas.

– Eu sei. É como nos verbos. Todos os verbos têm uma porção de modos. A gente também tem modos. As coisas têm modos.

– Isso! Você agora pôs o dedo na significação desse latim. *In rebus* quer dizer "nas coisas". Todas as coisas têm modos, ou medidas. Mas as fábulas não podem expor todos os modos das coisas – só expõem um, o principal, ou o mais frequente.

– Por que não podem?

– Porque ficariam compridas demais. Virariam tratados de filosofia...

TOLICE DE ASNO

Um asno pedantíssimo atormentava a paciência de um pobre burro de carroça, desses que reconhecem o seu lugar na Terra. Zurrava, declamava, provava que era ele um talento de primeira grandeza e sábio como nunca apareceu outro no mundo.

O burro ouvia, de orelhas murchas, pastando. O asno danou.

– Que bronco tu és, amigo! Falo e não me respondes! Zurro ciência e tu pastas! Vamos! Dize alguma coisa! Contraria-me, contesta-me as opiniões, que estou a arder por uma polêmica. Do contrário envergo-nhar-me-ei de ter-te como irmão na forma e na cor.

Um macaco que tudo ouvia lá num galho não se conteve e disse:

– O mundo está perdido! Esta besta a fazer-se de sábio, a zurrar centenas de asneiras, e o burro a engolir tudo caladinho...

O burro abanou as orelhas e respondeu com a citação do verso de Bocage:

Um tolo só silêncio é que se pode sofrer...

– Aposto que esse burro era o nosso Conselheiro – disse Emília – e o asno não pode ser outro senão o Coronel Teodorico.

Emília não perdoava ao Coronel o arzinho de superioridade com que ele a tratou naquela prosa contada nos *Serões de Dona Benta*.

– E quem é esse Bocage, vovó? – perguntou a menina.

– Um velho poeta português, notável pelas suas agudezas.

– E que é agudeza? – quis saber Pedrinho.

– É filosofia com graça, meu filho. Emília, por exemplo, tem às vezes excelentes agudezas...

Emília derreteu-se toda.

AS DUAS PANELAS

Duas panelas, uma de ferro, orgulhosa, outra de barro, humilde, moravam na mesma cozinha; e como estivessem vazias, a bocejarem de vadiação, disse a graúda:

– Bela tarde para um giro pela horta! A cozinheira não está, e até que venha teremos tempo de dizer adeus à alface e fazer uma visita aos repolhos. Queres ir?

– Com todo o prazer! – respondeu a panela de barro, lisonjeadíssima de honrosa companhia.

– Dá-me o braço então, e vamo-nos depressa antes que "ela" venha.

Assim fizeram, e lá se foram as duas desajeitadonas, gingando os corpos ventrudos, cheias de amabilidade para com as hortaliças.

– Bom dia, dona Couve! Comendador Repolho, como passas? Coentrinho, adeus!

No melhor da festa, porém, a panela de ferro falseou o pé e esbarrou na amiga.

– Ai que me trincas! – exclamou esta.

– Não foi nada, não foi nada...

Uns passos a mais e novo choque.

– Ai que desbeiças, amiga!

– Em casa arruma-se, não é nada...

Minutos depois, terceiro esbarrão, este formidável.

– Ai! Ai! Ai! Fizeste-me em pedaços, ingrata!... – E a mísera panela de barro caiu por terra a gemer, reduzida a cacos.

Sempre que o fraco se associa ao forte sai trincado, desbeiçado, despedaçado...

– A moralidade desta fábula também podia ser o tal "lé com lé, cré com cré" – lembrou Pedrinho.

– Exatamente, meu filho. Se tivessem saído a passeio duas panelas de ferro ou duas panelas de barro, nada teria acontecido.

– Se fosse escrever esta fábula – berrou Emília –, eu punha uma moralidade diferente.

– Qual?

– Fé com fé, bá com bá, isto é, ferro com ferro, barro com barro.

Todos acharam engraçadinho.

A PELE DO URSO

Dois caçadores precisados de dinheiro tiveram a ideia de vender a pele de um urso que morava na floresta próxima. Feito o negócio e recebida a importância, tomaram as espingardas e saíram à procura da fera. Encontraram-lhe sem demora o rasto e seguiram-no cautelosos. Súbito, um deles, batendo na testa, exclamou:

– Que caçadores das dúzias somos nós! Pois não é que deixamos em casa os cartuchos?

Era verdade aquilo, e, mal os caçadores deram pela coisa, o mato estaleja e o urso aparece.

Rápido como o relâmpago, um deles consegue trepar por uma árvore acima. Já o outro, mais lerdo, o remédio que teve foi deitar-se no chão e fingir-se de morto.

O urso chegou, bamboleando o corpo. Dá com o "cadáver", fareja-o nos olhos, no nariz, nos ouvidos e exclama:

– Carniça! Isto é coisa que só aos urubus pode interessar. – E retirou-se, bamboleante.

Assim que o urso desapareceu ao longe, os caçadores, até então imóveis, respiraram e criaram alma nova. E, muito satisfeitos de se verem livres das unhas da "pele" vendida, foram correndo para casa. Lá chegados, riram-se da aventura; e o que trepara à árvore perguntou ao que se fingira de morto:

– Que é que te disse o urso ao ouvido, compadre?

– Disse-me que não se deve contar com o ovo antes de a galinha o botar!...

Ouvindo falar em ovo, Tia Nastácia veio lá da cozinha saber que história de ovo era aquela. Ovo é uma coisa que bole no coração das cozinheiras. Dona Benta teve de repetir o caso da pele do urso.

A pobre preta não entendeu nada. Só gostou daquele ovo ali no fim, mas não achou nenhuma relação entre a pele do urso e o ovo da galinha.

– Será que esse caçador pensa que pele de urso bota ovo? – disse
ela tolamente.

Todos riram-se.

– A cara de Tia Nastácia está me sugerindo uma fábula que esqueci
de contar – disse Dona Benta –, a do galo em pérola. Um galo estava

ciscando no terreiro. De repente encontrou uma pérola. "Que pena!", exclamou. "Antes fosse um grão de milho."

A boa negra ainda ficou mais atrapalhada. Urso, ovo de galinha, pérola, grão de milho... Que embrulhada era aquela? E voltou para a cozinha resmungando:

– Até sinhá está ficando que a gente não entende. Credo...

LIGA DAS NAÇÕES

Gato-do-mato, jaguatirica e irara receberam um convite da onça para constituírem a Liga das Nações.

– Aliemo-nos e cacemos juntos, repartindo a presa irmãmente, de acordo com os nossos direitos.

– Muito bem! – exclamaram os convidados. – Isso resolve todos os problemas da nossa vida.

E sem demora puseram-se a fazer a experiência do novo sistema. Corre que corre, cerca daqui, cerca dali, caiu-lhes nas unhas um pobre veado. Diz a onça:

– Já que somos quatro, toca a reparti-lo em quatro pedaços.

– Ótimo!

Repartiu a presa em quatro partes e, tomando uma, disse:

– Cabe a mim este pedaço, como rainha que sou das florestas.

Os outros concordaram e a onça retirou a sua parte.

– Este segundo também me cabe porque me chamo onça.

Os sócios entreolharam-se.

– E este terceiro ainda me pertence de direito, visto como sou mais forte do que todos vós.

A irara interveio:

– Muito bem. Ficas com três pedaços, concordamos (que remédio!); mas o quarto tem que ser dividido entre nós.

– Às ordens! – exclamou a onça. – Aqui está o quarto pedaço às ordens de quem tiver a coragem de agarrá-lo.

E arreganhando os dentes assentou as patas em cima.

Os três companheiros só tinham uma coisa a fazer: meter a caudas entre as pernas. Assim fizeram e sumiram-se, jurando nunca mais entrar em Liga das Nações com onça dentro.

– Chega de fábulas, vovó! – disse Pedrinho. – Já estamos empanturrados. A senhora precisa nos dar tempo de digerir tanta sabedoria popular. Estou com a cabeça cheia de "moralidades".

    Dona Benta concordou. Tudo tem conta, e a maior sabedoria da vida é usar e não abusar. Mas, querendo saber se tinham aproveitado a lição, disse:

    – Muito bem. Vamos agora ver se não perdi meu tempo. Que é que você conclui de tudo isto, Pedrinho?

– Concluo, vovó, que as fábulas são sabidíssimas. No momento a gente só presta atenção na fala dos animais, mas a moralidade nos fica na memória e de vez em quando, sem querer, a gente aplica *el cuento*, como a senhora diz.

– Muito bem. E você, Emília?

– Eu acho que as fábulas são indiretas para um milhão de pessoas. Quando ouço uma, vou logo dando nome aos bois: este mono é o Tio Barnabé; aquele asno carregado de ouro é o Coronel Teodorico; a gralha enfeitada de penas de pavão é a filha de Nhá Veva. Para mim, fábula é o mesmo que indireta.

Dona Benta voltou-se para Visconde.

– E que pensa das fábulas, Visconde?

O sabuguinho assoprou e disse:

– Na minha opinião as fábulas mostram só duas coisas: 1ª) que o mundo é dos fortes; 2ª) que o único meio de derrotar a força é a astúcia. Essa da Liga das Nações, por exemplo. Os animais formaram uma liga, mas que adiantou? Porque lá dentro estava a onça, representando a força, e contra a força de nada valeram os direitos desses animais menores. Bem que a irara fez ver o direito desses animais menores. Mas nada conseguiu. A onça respondeu com razão da força. A irara errou. Em vez de alegar direito, devia ter recorrido a uma esperteza qualquer. Só a astúcia vence a força. Emília disse uma coisa muito sábia em suas Memórias[9]...

– Que foi que eu disse? – perguntou Emília, toda assanhadinha e importante.

– Disse que se tivesse um filho só lhe dava um conselho: "Seja esperto, meu filho!". Se não fosse a esperteza, o mundo seria uma brutalidade sem conta...

– Seria a fábula do lobo e do cordeiro girando ao redor do Sol que nem planeta, com todas as outras fábulas girando ao redor dela que nem satélites – concluiu Emília dando um pinote.

Dona Benta calou-se, pensativa.

9. Nota da editora: O Visconde está se referindo à obra *Memórias de Emília*.